全彩插图珍藏本

她们是谁？

为什么她们在藏传佛教中地位显赫？

130幅世界上最美的唐卡

展示西藏佛教中女性的惊人魅力

唐卡中的
度母、明妃、天女

吉布／著

陕西师范大学出版社

吉祥天母

吉祥天女又称吉祥天母，是藏密护法神之一，呈忿怒相，面目狰狞可怖，右手高举红色金刚杵头大杖。左手持盛满鲜血的嘎巴拉碗，斜跨于黄色骡子上，奔走在血海中。

欢喜金刚与无我佛母

欢喜金刚呈红绿，与无我佛母行合双运，体色均为蓝色，代表空间与意识，八面、眼观八种智慧十六臂，触摸十六空相的本质。每只手持一个盈血颅器，象征产生十六种智慧的大乐。

独雄大威德金刚

大威德金刚又称怖畏金刚，明妃为起尸金刚空行母，两者都是文殊菩萨的忿尊。怖畏金刚的一面与意识。三十四只手、加上身、言、意三密，是三十七道品。牛面，十六条腿，代表十六空相。怖畏金刚右脚下跟踏着十空相，象征着修持所带来的八种神秘能力，左脚下也同样获踏着八人，象征证果的八个方面。

二十一度母造像唐卡

这幅二十一度母造像唐卡属于释迦牟尼所派的主尊和环统四周的二十一度母全部呈金色。二十一度母位于主尊的背光之中，表示他们都是同一度母的化身。她们都有自己本来的体色，金色是由委造这幅唐卡的人添加上去的，作为对度母的供奉。

二十一度母为观世音菩萨的化身，绿度母为二十一度母的主尊，持诵本尊咒，能总持二十一度母之功德。修行者之心境的法力，因为此尊密法，消除一切魔障、业障，并能消灾增福、延寿、广开智能，凡有所求无不如愿成就，且命终往生极乐世界。唐朝的文成公主感信是绿度母的化身。

作明佛母

作明佛母又被称为"旺吉拉姆"，威力极大，身色为红色。象征佛业的力量可以击退所有邪恶势力，发丝飞扬，象征她拥有令修行者飞升证悟之境的法力。她面带怒容，因为她的忿怒信愿的力量，手持弓箭，代表佛禅定，弓象征禅定，箭象征透本真的智慧，套索和铁钩的象征勾勒勾摄的思维，激发各种心灵中隐藏的痴迷的能力，所有这些法器都由红色莲花制成。

二十一度母

作为一种特别供奉，二十一度母全都呈金色。位于主尊母的背光之中，表示她们是同一度母的化身。

东方四天女

东方四天女为供养天。密所供奉十六位供养天女中的东方四位。自上而下依次为遍鼓天女、琵琶天女。女与和横苗天女。前两者为兽头人身。后两者头戴花冠。顶结高髻，戴大耳环，面相端正妩媚，呈明显的三折枝式。她们躯体丰腴，胸部双乳高隆。神情特征明显。

绿度母

作为一种特别供奉。绿度母身呈金色。她头戴花蔓冠。发髻高挽，双耳重金环，慈眉善目。上身裸露，肩披帔帛衣，颈挂珠宝璎珞，帛带飘绕，左手当胸轮一曲菱莲花。右手下垂，掌心向外作与愿印。以象征充服八难。施众生于安乐。莲父生于莲上，赤足子莲上，莲瓣纷嫩如初生。

守护天女

她上身裸露、肩披帛带、站立于度母净土入口处，从她双手手心发出两道虹光。度化修持度母的萨迦弟子，助其获得修行证果。

供养天女

圣教度度母下方左右各有4个供养天女。天女们一面二臂，雪肌玉颜，青丝成髻，非常美丽。她们手捧八吉祥徽、轮王七宝、宝幢、华盖、千幅金轮、右旋海螺等无量供品供养二十一度母。手持两面都可看供的红色镜子为色天女；手持琵琶等乐器为声天女；手持香涂海螺为香天女，手持甘露妙食为味天女，手持天衣为触天女。

密集金刚与触摸金刚母

金色度母

无量寿佛

救水难度母

目录

多杰拉布珍玛的侍从

白度母

阿弥陀佛

尊胜佛母

主要唐卡图版目录

前　言

　　人们在参观过藏地寺院后，都会对寺中壁画、唐卡，乃至各种雕塑中的大量女性形象留下深刻的印象。无论是僧院、觉姆寺，还是公共的静修所，都可以感受到女性在西藏佛教艺术中的重要地位，这与大多数佛教国家和地区男性一统天下的局面形成了鲜明的对比。

　　西藏最古老最庄严的大昭寺，建于公元7世纪中期，位于老拉萨正中心，由数十座小佛堂组成，每一座都有着自己的特别供奉对象。在这里，可以看到数以百计的女佛造像，由此可以看出，藏传佛教对女性证悟潜力的认可。同样，白、黄、红、绿、蓝五种身色的佛代表五种主要的种族肤色，这说明所有种族的女性都具有同等的证悟潜力。

　　7世纪中期，藏王松赞干布的两位王妃尼泊尔公主和文成公主，在今天通常被看作是圣救度母的化身。正是在她们的鼓励下，松赞干布信奉了佛教，并在西藏修筑了108座大佛寺和静修所，支持藏族人前往印度，学习并翻译佛教经典。事实上，今天的西藏文化很大程度上得益于这两位佛母化身。因此，藏族人格外礼敬女佛，特别是圣救度母。

　　在本书中，我们将仅仅着墨于那些最为知名的女佛，也就是藏传佛教各教派中为信徒所熟谙的，以及藏传佛教影响力所及的广大中亚地区人们所熟知的那些女佛。在第一部分，我们简单介绍了一些藏传佛教的基础知识，这将有助于读者理解第二部分的内容。第二部分是对唐卡中的女佛的精彩鉴赏。我们不仅向读者讲解每幅唐卡的精妙细节及其宗教象征意义，还将藏传佛教密宗四派的传承关系、寺院分布、各时期藏文化的特点融合了进来，为读者展现一幅完整而绚烂的藏文化图卷。

　　为了读懂每一幅精美的唐卡，读者需要特别注意主尊的体姿、饰品、法器、护法，任何一个细节都传递着秘密的奥义。例如，手中的剑代表斩断俗相、堪破本真的能力；空行母手中的盈血颅器（噶巴拉碗）代表短暂人生中无所不在的殊胜大乐；金刚钺刀象征切断我执；双腿盘曲意指完全禅定；一条腿向内盘曲，一条腿向前舒展，代表半禅定半入世，等等。

　　与形相和内容一样，颜色在密宗艺术也同样传递着情绪和意义。白色代表水、纯净，是一切形相之源；因为所有生命都来源于水，水可以净化一切，所有的形相都是在本初心灵的洁白画布上绘制出来的；黄色代表土，支撑着所有的生物，代表增加的力量；红色是火，代表改变的力量，等等。

如意轮度母

上 部

藏传佛教传统

　　　　一位西藏女朝圣者在拉萨附近的摩崖壁画前虔诚膜拜。

第一章

女性赞歌

在一世达赖喇嘛根敦珠巴（1391年—1475年）所造赞歌中，最广为传颂的一首就是《妙绘赞》。这是一首题献给圣救度母的神秘赞歌。圣救度母是藏族人最喜欢的佛母，这首赞歌在西藏地区几乎人人详熟于心。在一年一度的拉萨传昭大法会期间，每天都会有2万名僧尼汇聚在一起，以低迴婉转的旋律吟咏这首赞歌。在歌中，根敦珠巴大师写道(汤芗铭译—编者注)：

大悲悲悯所幻化，显三世佛智悲力；
端严事业天母身，救护一切匮乏者。

界明清净莲月座，一面二手摩伽色；
盛年伸右屈左足，方便般若双运转。

无漏乐藏乳耸满，面容满月笑白净；
静息相状悲广眼，羯地罗林妙端严。
……

证寂悲亦依他起，沉溺苦海诸有情；
悲手速疾作济拔，悲悯已能到究竟。

任何人在参观过藏地寺院之后，都会对寺中壁画、唐卡，乃至各色雕塑中的大量女性形象留下深刻的印象。无论是僧院、觉姆寺，还是公共的静修所，都可以感受到女性在西藏佛教艺术中的重要地位，这与大多数佛教国家和地区男性形象一统天下的局面形成了鲜明的对比。在神秘的西藏艺术中，女佛形象的丰富堪称无与伦比。

从位于中藏的贡嘎机场驱车前往圣城拉萨，在短短的2小时行程中，你就可以明显地感受到这一特色。车程约摸过半，你就可以看见途中的第一座寺庙。这座寺庙距离主路不远，藏语为"卓玛拉康"，意为"度母寺"，是专门供奉圣救度母的地方。而圣救度母则是藏地最常供奉的女佛之一。寺庙建于11世纪中期，已经在这里矗立了

白度母　布本设色唐卡　19世纪　79厘米×40厘米

　　相传白度母是阿弥陀佛左眼所化，因佛母面、手、脚共有七目，所以又称七眼佛母。白度母身色洁白，穿丽质天衣，袒胸露腹，颈挂珠宝璎珞，头戴花蔓冠，乌发挽髻，面目端庄慈和，右手膝前施接引印，左手当胸以三宝印捻乌巴拉花，花茎曲蔓至耳际。相传额上一目观十方无量佛土，其余六目观六道众生。

10个世纪，是藏族人礼敬圣救度母的见证。这座度母寺是在印度大师阿底峡尊者的启发下修建而成，尽管规模并不大，但却是西藏地位最高的圣地之一。寺中有数十尊度母像，有陶塑、有铜雕，也有精美的绘像。

在度母寺背后，大约2公里开外的山谷顶端，还有一座僧院，这就是著名的拉托寺。一座同样与圣救度母密切相关的静修所。世代以来，瑜伽修行者就在拉托寺背后的山洞与茅屋中禅修。在寺中，你也可以看见无数的度母像及其他佛母像。其中最著名的是一尊小型的度母青铜像，据说是由阿底峡大师在1042年初次入藏时亲自带来的。

在圣城拉萨，女佛像也是无处不在。布达拉宫就是最典型的一个例子。这里有无数的佛堂，分别供奉着不同的女佛，包括圣救度母、金刚瑜伽母、般若佛母、尊胜佛母等等。在达赖喇嘛的夏季行宫罗布林卡也有好几座类似的专门供奉女佛像的佛堂，其中七世达赖喇嘛在18世纪修筑的白度母佛堂最为著名。白度母修持和赞呗可保健康长寿。一世达赖喇嘛终生都严格尊奉着这一传统，其他后世达赖也如是。七世达赖喇嘛一直身体虚弱，不适应潮湿冰冷的布达拉宫。于是修建了格桑宫，也就是这座白度母佛堂，作为自己的避暑地，并时常在佛堂公开讲法，听众就在佛堂四周席地而坐。

西藏最古老最庄严的大昭寺也同样如此。大昭寺建筑于公元7世纪中期，位于老拉萨正中心，由数十座小佛堂组成，每一座都有着自己的特别供奉对象。在这里，可以看到数以百计的女佛造像。

在本书中，我们将仅仅着墨于那些最为知名的女佛，也就是藏传佛教各教派中为信徒所熟谙的，以及藏传佛教影响力所及的广大中亚地区——北至俄罗斯东部和蒙古，南至喜马拉雅地区的印度小王国，东至中国西部，西至印度的拉达克、拉荷、旁遮普、科努尔等地——人们所熟知的那些女佛。

从大昭寺顶远眺布达拉宫。

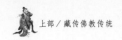

第二章

男佛与女佛

几年前，一位佛教学者在美国的一所大学内举行了一次公开演讲。在演讲接近尾声时，他开始接受听众提问。

一位年轻女士站了起来，问道："女性在藏传佛教中有什么样的地位？佛家对性别与证悟的关系有何见解？

学者沉吟了一下，回答说："总的来说，佛家对男性和女性的证悟潜质和能力是一视同仁的。"

思索片刻之后，他又继续说道："佛教教义主要分为两个层次，第一个被称为显乘，建立在佛祖公开传授的教义基础上。另一个被称为密乘，建立在佛祖秘密或有限传授的教义基础上。补充我刚才所说的一视同仁，在显法中，男性拥有更高的地位。而在密教中，女性则有着更大的优势。"

在本章稍后，我们将探讨学者所说的两种"法"究竟是什么含意，为什么在这两种佛法中男性和女性的地位刚好相反？为什么男性在前者占主导地位，而女性则在后者占主导地位？

也许只有在了解以上原因之后，我们才能够了解为什么女佛主要与学者所说的密法相关，并进而了解为什么她们会成为中亚艺术家和修行者数百年来的灵感源泉。

要了解什么是女佛，我们首先需要知道"佛"的含意。梵文中"佛"意指"悟"，蕴涵"从无知的睡眠中苏醒"的意思。藏族人将其翻译为"桑结"，然后又赋予了"桑"净化和解脱的意思，意指从情感和内心的扭曲中净化和解脱出来；赋予了"结"完满或延展的含义，意指获得圆满证悟和心性的拓展，领悟两个层面上的真如实有：世俗谛上的自相有和胜义谛上的胜义有。也就是说，佛是在超脱（情感和内心的扭曲）和认知（两个层面的真如实有）两方面都获得了精神圆满或无上智慧的人，因此，"佛"可以说是所有获得证悟的人的通称。在无数世代中，获得证悟的人数以百万计。我们可以说，宇宙中存在着数百万乃至数十亿的佛。佛家相信，我们所有人都能有一天证入佛境，如同汇入大海的雨滴，与所有已经达成这一无上状态的心灵汇合。

无论种族，无论性别，任何人都可以获得证悟，这一点可以从密宗坛城中的"五佛"得到印证。这五佛分别有五种身色：白、黄、红、绿、蓝。在印度佛教中，这代表着五大人种。"绿色"是橄榄色或棕色人种，"蓝色"是棕色或黑色人种。当然，对佛教密续有一定了解的人一定会知道，密宗的五色所象征的并不只是人种，每一种颜色还与一种特定的元素、心理和五蕴、智慧能量等相关。在密宗坛城中，这五种颜色的佛也有着自己特定的方位。

从寺院和禅修所中的大量女性佛像也可以看出藏传佛教对女性证悟潜力的认可。同样，这五种主要的种族肤色也说明所有种族的女性都具有同等的证悟潜力。

然而，性别问题在证悟领域的重要性极其有限。只有在获得证悟之前，人才会有性别之分，获得证悟之后，性别问题也就变得无足轻重。我们将在第五章《三身法》中进一步阐释这个问题。

拉萨铁山禅修洞中的西藏女修行者。

释迦牟尼摩崖造像，祈楚（Kyichu）河谷。

第三章

佛祖释迦牟尼

　　所谓"佛教"，广义地说，就是指引圆满证悟之道的宗教。然而，"佛"与"佛祖"则是两个不同的概念。从更狭义，也更符合历史事实的角度来说，今天的佛教事实上指的是由佛祖释迦牟尼所传下来的证悟之道。释迦牟尼于2500年前出生于今天尼泊尔和印度的交界地带。其父为释迦族族长，这一家族是比哈尔地区的望族，位于今印度中北部。佛祖的出生地蓝毗尼距离尼泊尔边境仅9公里。由于12世纪—14世纪穆斯林的破坏，其确切位置曾被遗忘多年。直至19世纪末期才被英国人类学家重新发现。现在，在全球各佛教国家和地区的协助下，这一圣地已经得到了很好的修复。

　　他的生名为悉达多，但是很早便剃度为僧，更名为乔答摩，随众多大师参习禅定，勤力苦修，最终获得圆满证果，并获得"佛祖"的称号。

　　他被同时代人尊称为释迦牟尼，意为"释迦族的圣人"，以后逐渐演变为"释迦牟尼佛"，也就是"释迦族的开悟圣人"。事实上"释迦牟尼"这个称号只是经文中经常出现的一个更为冗长的尊称的一小部分而已，这个尊称是"Bhagawan Tathagata Arhat Samyaksambuddha Jina Shakyamuni"，意思是"世尊·如来·阿罗汉·三藐三菩陀·无上士·释迦圣人"。有时我们也直接简称其为"佛祖"。

　　一世达赖喇嘛（1391年—1475年）曾根据大乘《普曜经》中所记载的佛祖生平造过一首有关佛祖生平的赞歌，名为《摧毁暗黑之力》。一世达赖喇嘛在诗中这样写道：

　　　　世尊释迦立誓愿，广大慈悲菩提心。
　　　　众佛门下修三世，但求究竟证果位。

日益精进次第行，纷争乱世得菩提。

敬礼我佛无上士，诚心礼赞歌一曲

……

爱与慈悲伏黑暗，禅定修习得远见。

敬礼晨曦亮光佛，修得金刚三摩地。

不费兵卒退敌魔，无用资媒清业障。

自告奋勇担伟业，显世亘古第一师。

　　尽管一世达赖在赞歌中不乏溢美之辞，但值得一提的是，他并没有将佛祖看得比其他佛更有智慧。所有获证菩提的人都拥有同样的体悟。佛祖的与众不同之处仅仅在于：他在一个特殊的时代以一种特殊方式建立了一个将要存在五千年的世界传统——把证得佛果的技巧系统化，并使其传承下去。一世达赖喇嘛所说的"显世亘古第一师"就是指这一点。

　　据说，在贤劫中将有千佛显世，他们的证悟传承也同样可以持续很长的时间。而释迦牟尼正是其中的第四位。

　　因此，从广义上说，佛教可以是由任何佛陀传授的成佛、证悟之道。不过，我们今天所说的佛教则是由释迦牟尼在2500年前系统化，然后经过无数大师的传承，数十代人代代相传下来的获得证悟体验的方法。我们今天在日本、韩国、越南和泰国等地所看到的各种佛教形式莫不如此。在整个亚洲，佛祖及各种传承大师都是佛教艺术中常见的主题。我们将在第八章和第十八章了解到一些重要的女性传承大师。

释迦牟尼佛

布本设色唐卡　19世纪　91厘米×59厘米

　　（左页图说）在唐卡中心端坐的释迦牟尼佛慈目善眉，面如满月，表情平静，肩头圆满，上下匀称，体态端庄，顶成肉髻，斜披袈裟，庄严地坐在莲台上，佛陀右手施触地印，左手平托钵盂。密乘认为，阿弥陀居西方极乐世界，为莲花部部生，以化身形相所显现，所托钵中储有山、大地、日月、须弥等佛土，亦有说钵内充满智悲甘露。佛陀头背光一周还环绕有白象、异兽、菩萨、罗汉等，在上方左右角还各绘有一太阳和月亮，两边护法诸神兽各以动态呈现，两神足弟子侍立下方左右，使整个图面丰富多变，全面释迦牟尼佛占画面统治地位，周围则人物布置均衡，既有磅礴的运势，又无杂乱之感。

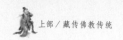

第四章

显 法

从广义来看，显法指的是记录佛祖所说佛法的经文。正如上一章所说，在佛祖在生期间，这些经文都没有被记录下来，大多数经文都是通过数几百年的心口相传保存下来的。密法同样也是记录佛祖所说佛法的经文，不同的是前者主要是基于佛祖的公开说法，而后者则基于佛祖的秘密及私下说法。《大藏经》（或《甘珠尔》）中一共有600部显法及同样乃至更多的密法，全部由梵文翻译而来。

有的时候，显法经藏又根据基本的修行训练不同而被分为三类，也就是"三藏"：即强调戒律的经藏，毗那耶；强调禅定的律藏，修多罗；强调智慧的论藏，阿毗达摩。这三项法训是获得涅槃，也就是解脱业障的三大主要方法。

显法又分为小乘和大乘。其中，小乘又被视作大乘的基础。

小乘包含上述三种法训：戒律、禅定和智慧。这三点是小乘显法的核心，一旦在这三个领域获得了一定的成就，修行者就可以进入大乘的修行。

大乘的基础是"菩提心"，指的是"为度众生愿成佛"的广大慈悲之心。拥有菩提心的修行者被称为菩提萨埵，即"菩萨"。所有菩萨最终都将精进菩提，即身成佛。从证果和成就来看，他们可以被看作是佛，但是仍然保留菩萨的称号，继续显现于世，普度和利益有情众生。大乘佛法中记录了无数的男性菩萨，包括代表大慈悲的观世音菩萨；代表大智慧的文殊菩萨智慧；代表大信愿的金刚菩萨，等等。同时也记录了很多女菩萨，度母就是其中最为重要的一位。

菩萨与西方的大天使有很多相似之处。和大天使一样，他们显现于数十万年的人类历史长河之中，既致力于提升人类的整体文明，同时也致力于救助芸芸众生中的每个个体。

大乘佛法还收录了无数除释迦牟尼之外的其他佛陀的教义，并给予了他们与释迦牟尼同等的尊崇。这与小乘佛法形成了鲜明的对比。后者赋予了释迦牟尼至高无上的地位，"菩萨"一词也主要只用作称呼前生（也就是获得证悟前的本生）的释迦牟尼。

这两种显法都是建立在佛祖所首创的教法，也就是四圣谛的基础上：苦圣谛、集圣谛、灭圣谛、道圣谛。也就是有关人生苦乐因缘的绝对真理：苦谛讲的是世间皆苦果；集谛讲的是业与烦恼是苦的根源；灭谛讲的是解脱业缘；道谛讲的是通过修行解脱离苦的途径。

因此，无论是小乘还是大乘，都是将人的精神状态看作是一条因果之线，苦与乐都有其各自的因由。种恶因得苦果，种善因即可得快乐与解脱。

小乘和大乘的最大区别在于，前者主要从生活及历史的世俗角度来表现，而后者的表现方式则更为深奥抽象。随意参阅一下两者的经文就可以很清楚地体会到其中的区别。

在艺术方面，小乘艺术作品主要是颂扬释迦牟尼的生平（包括其本生），其弟子的成就和行游经历，以及后世传承大师的功绩。在大乘教法中也有类似的东西，但除此之外，大乘艺术作品还会表现无数其他的大乘佛陀和菩萨的故事。在与大乘佛法有关的艺术作品中，重点在于表现并传达某一个特定的佛或菩萨所象征的精神特质，譬如爱、慈悲、智慧、长寿等等。

这两种佛法都激发艺术家创作出了很多有助于讲法和禅修的工具，譬如后面这幅《六道轮回图》，它绘制的是衔在死主颌下的世间六道。其含意是我们人人都在这六道——地狱道、饿鬼道、牲畜道、人道、阿修罗道、天道——之间轮回转生，直至最后看破生死，获得涅槃或解脱。

拉萨大昭寺的佛像。

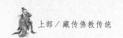

事实上，大多数佛教艺术作品都起着精神引导的作用，某一特定的佛或菩萨的画像或雕塑常常被看作可以为家庭带来宁静及超脱的氛围，同时也可以作为精神的支柱。也就是，佛像可以提醒人们与证悟传统有关的精神价值和行为，譬如爱、慈悲、耐心、智慧、禅定、非暴力、诚实、信义等等。观看这些佛像可以激发人们从世俗的思想和行为转向更有意义的领域。

佛教徒还相信，宗教艺术作品能够承载和传递灵力。在一件作品完成之后，通常会对其举行开光仪轨，将法力注入画像，就如同将甘露注入净瓶一样。在藏语中，这种画像被称为 ten，即"花瓶"的意思，意指它是一个盛满法力的花瓶。

然后，这件作品就可以担负起不平凡的任务，直接与观想它的人对话，发挥医疗庇护等神力。

因此，藏族人将买卖开过光的佛像看作是最重的罪业之一，违背这一训律将导致来生被堕入十八层地狱。佛像一般为委托定造，而不是造好以后，挂在市场上售卖。委造人只有付清资费，将佛像请回家以后，才能举行开光仪式。

如果出于任何原因，需对圣像进行修复，需首先举行免除开光的仪式，将其中的灵力召唤出来，送回它们的天然居所。仪式举行完毕之后，画师或雕塑师才能对作品进行修复。

六道轮回图：死神阎魔转动生命之轮

布本设色唐卡　19世纪　130厘米×65厘米

（上页图说）这幅六道轮回图，也就是通常所称的《生死之轮图》。这一藏传佛教的经典图式所描绘的，是无明众生的心理状态或生存境界。除了绚丽无比的色彩，对比强烈的对称美学，六道轮回图是启迪修行人的明镜，通常绘制在寺庙入门左首，为僧侣及朝圣者提供审度自身的机会。

第三圈，沿顺时针方向，最左首为畜生界，其次是善妒的阿修罗界。在曼荼罗顶部，是神界有情短暂的天堂。神界之下是人界，在佛家看来，这里汇聚着最多的悲喜，最能够激发修行之念。在每一界都绘着一尊佛，立于云端，象征每一种人生境地（无论其多么恐怖）都能够为我们提供证悟的机会。

六道轮回图被拥抱在阎摩死主长着利爪的羽翼之中。阎摩死主是妄执和死亡之神，头戴五骷髅冠，象征六道众生无——可逃离死主的掌握。浑身包裹着火焰和虎皮，脚上镌刻的经文和前额正中的天眼象征着生命的轮回并非幻象，而是芸芸众生不可回避的生存现实。

如果我们漠视时间的流逝和禅定修行的挑战，就会像这幅唐卡左下角的骷髅一样，令自身虚掷于营营役役的凡尘游戏中，或是如同图右首所示，不断地陷入与心魔的斗争之中。在曼荼罗下方是端坐于雪狮背上的毗沙门天王（财宝天王）。在生死轮回图中，所有财富最终都会归于虚无——除却能参透本真的智慧。这些无价珠宝都变成了如意宝珠——得菩提者心中的财富。

（左页图说）

浑身散发虹光的佛像，拉萨叶莫切寺。

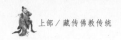

第五章

三身法

三身法，即法身、报身、应身，是大乘和密乘的核心教法，但是在小乘佛法中却没有类似论述。这一重要教法所探讨的是个人在获得证悟后的命脉，同时也是密乘和大乘文学、艺术、画像中无数佛陀和菩萨题材的灵感来源。

在这里，法身指的是真身，报身指的是受用身，应身指的是化身。这三身有时又被合并为两身，其中后两种合称为有形的"色身"，第一种法身则被称为无形的"胜义身"。有时又可以称为四身，因为法身又可被分为"明光"和"空相"。

在获得证悟之前，心与身是相互分离但彼此合作的两个实体。而一旦获得证悟，它们就合而为一。这时，人的生命之流就化为法身，也就是进入空性之境，和所有获得证悟的人一起，成为"一抹不可分辨的味道"。

甘丹寺中的佛塔。

这就好比一滴水汇入了大海，个人的生命也如同水珠一样，汇入法身的海洋。正如我们无法从整个大海的水中辨别出一滴水的味道一样，个人也汇入佛的海洋，不可辨识。基督教徒可能会把这种泛宇宙的意识称为神性。

然而，休憩在法身中的生命只能为其他获得圆满证果的人所感知。即便是第十界的圣者也无法直接接近法身，遑论普通众生。

因此，当法身最终回忆起很久以前曾经发下的为度众生愿成佛的誓愿，建立在广大的爱与慈悲基础上的菩提愿就会发生作用。

众生被分为两界，已经获得解脱的圣者和没有获得解脱的凡人，这两者的认知能力有着巨大的差别，于是佛便派出了两种幻化身，也就是报身和应身。报身显现于圣者面前，激励他们继续精进，获得圆满证果；应身显现于凡人面前，给他们提供激励与引导。

这两种幻化身并不是通常所说的"转世"。尽管有的时候，他们也会经过孕胎及分娩等过程，但是，推动这一切的并不是业力及烦恼障，而是他们的广大慈悲。

佛的法身可以同时向这两界散发出无数个化身。但是，只有那些经过法训的人才可能有缘得见。4世纪的印度无著大师曾经在他的弥勒造颂《现观庄严论》中这样写道：

> 佛雨普降于众生，
> 唯有根之籽破芽。

也就是说，每一个地方都有无数的证悟化身盘旋空中，等待我们根器成熟，方能接受他们的激励和指引。他们没有迟疑、偏见或任何隐秘的动机，然而，只有在我们的心性做好了充分的准备时，他们才会来到我们身边，就好像催发嫩芽的喜雨。对我们来说，挑战就在于是否能够感知到他们的存在。

十三世达赖喇嘛（1875年—1933年）在给弟子的偈语中这样说道：

> 我佛慈悲，普照有情众生，
> 心缘成熟，方可收获利益。
> 佛无偏持，高下尽在修为，
> 圆熟心境，早获证悟根器。

他还在一首祷文中这样写道：

> 敬礼我佛谨祈告：
> 早证圆满四佛身，
> 报得宏愿利众生。

法身无形，因此也没有性别。法身是一种无性别或超性别的生命状态。但是，报身和应身却有性别之分。

法身空相，因此也无法诉诸笔墨，只能通过象征符号予以暗示。在佛教艺术作品中，最常用的法身象征是佛塔。印度曾经造过八座类似的佛塔，用来供奉释迦牟尼佛祖火葬后的遗体。这些佛塔通常用砖土造成，大约2到3层。

不过，在过去10世纪—12世纪，人们越来越多地使用青铜或黄金来制造佛塔，体积仅巴掌大，可以供奉于家中佛堂，作为法身的象征。

由于法身无形，所以佛陀或获得证悟的菩萨造像通常都取材于他们的报身或应

拉萨女法师，背上绣着"卍"字及日月标志。

身。有时也有例外，譬如大日如来双身相，则是利用了一种抽象符号表现法身。正如上面所说，显乘和密乘的艺术作品中经常会使用佛塔来代表法身。密乘坛城绘画中央的圆圈也有同样的涵义。

报身通常有32种主要的和80种次要的优美完好外相，譬如亚洲艺术作品中常见的阔眼、长耳等特征。此外，在西藏艺术作品中，报身造像通常会头戴五顶冠，象征五种智慧。

应身有三种主要化身，不过在西藏艺术作品中，通常只能看见其中两种。第一种被称为"胜应身"，有112个完美的外相标记，通常都与报身有一定的联系。根据佛经，只有在累世集聚了巨大福德的人才拥有足够纯洁的双眼，感知到真正的胜应身。当胜应身显现在眼前时，福缘浅的人就只能看见乞丐、疯汉、流浪狗或其他类似的东西，而完全无法感受化身的荣光。因此，普通人所能感知的就只有最低级别的化身。这一化身的形相完全取决于修持者的因缘素质。

三身教法自公元3世纪开始盛行于印度。藏族人吸纳了这一传统，并将其发展到了一个全新的高度。

简单地说就是，他们将这一法义与中阴道无上瑜伽密续联系在了一起，并发展出了有关意识重生的艺术和科学理论，并最终形成了他们的图库（也就是平常所说的活佛）传统。这一传统大约出现于12世纪，并由此滥觞。

西藏最著名的女活佛是多杰帕嫫。在西藏的3000名活佛中，她位列第四，在官方聚会上，她的法座通常都高于其余2995名图库。她的寺院位于羊卓雍措后面。

事实上，图库一词本身就是梵语"应身"一词的直译。据说，高僧坐化时会使用瑜伽密法，拨开死亡的迷雾，认清中阴之道，并最终找到重生之路，同时还会将这三个步骤与三身分别联系在一起。因此，活佛的转世就是应身的化身。

有趣的是，西藏地区还发展出了与"转世"（图库）相对应的"化身"（图巴）。由于法身可以散发出无数报身和应身，因此，很多高阶喇嘛和重要的历史人物又常常被看作是某一个佛或菩萨的化身。譬如，7世纪中期嫁给藏王松赞干布并鼓励他信奉佛教的尼泊尔公主和文成公主就通常被看作是圣救度母的化身。正是在她们的鼓励下，松赞干布在整个藏族地区修筑了108座大佛寺和静修所，并建立了一个政府资助项目，支持藏族人前往印度，学习并移译伟大的佛教经典。事实上，我们今天所了解的西藏文化很大程度上都有赖于松赞干布在这两位佛母化身指导下所创造出来的成就。

基于同样的理论，萨迦天钦被视为文殊菩萨的化身，夏玛活佛被视为是阿弥陀佛的化身。西藏还有几十名转世活佛也都通过这种方式与各种佛与菩萨建立起了联系。

藏王松赞干布与尼泊尔公主及文成公主雕塑，拉萨铁山禅修洞。

第六章

密法、真言与坛城

三身法教义开启了无尽的佛源，其中既有男性，也有女性。法身是任何人都可以到达的神秘之域，一旦到达这一境界，法身就会变成一眼喷涌的泉水，流出无尽的化身。法身可以派出无数的报身和应身，每一个都可以随时响应修行者的需要。

这一教义在密宗得到了全面的引申。在这里，法身幻化出男女密续主尊，以及他们的坛城、真言等等，每一个都象征着获得证果的圆满修行之道。

因此，在密乘中，我们会遇到无数的佛相，每一个都可以当作修持的观想对象。这些化身中既有很多男性，也有很多女性，还有的则是双身合运。

显乘在藏语中又被称为"因乘"。这是因为，通过显乘之道，人可以看见自己的缺点和内心的虚弱，并找出系统根除它们的方法；人也可以看见自己所缺乏的悟性，专注于能够有助提升证悟体验的精神修持。总的来说，人可以看见由自己内心的三毒——贪、嗔、痴——所引起的疾病，并且能够将观想等精神修持当作系统根治这些疾病的方法。

密法的修持方式则大为不同。它非但没有接受个人及世界不完美这一传统看法，反而是完全摒弃俗义，以"主尊修持法"取而代之。在这里，主尊就指的是佛。简单地说就是，修持者在头脑中观想自己就是主尊，其他人也是密续主尊，世界就是坛城。

密法中完全没有作为显法基础的四圣谛：苦圣谛、集圣谛、灭圣谛、道圣谛。这是因为，在密法观想中，压根就没有苦的位置，自然也就不需要解脱之道。相反，修持者可以直接借由主尊的证悟体验获得解脱。

因此，密法有时又被称为"果乘"（与显法的"因乘"相对应）。在这里，修持者不需要自己种下证悟之因，而是直接把自己等同于佛果。

拉萨布达拉宫的时轮金刚坛城壁画。

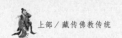

也就是说，修持者只需要采取一种拥有证悟根本的态度和生活方式，然后按部就班照做就可以。主尊修持法可以让这种方法更有效。你只需要提醒自己："我就是佛，你也是佛，世界是一个佛的舞台，一切活动都是证悟的交换。"

所有的密宗法系都有他们自己的《根本续》。大多数都会在一开篇就讲到这一法系被传授的方法、地点、时间和原因。一般来说，内容有点类似于"由释迦牟尼佛祖以……的化身……经……的恳请在行游至第三十三天时传授"。有的时候，讲道者则可能是另一个来自更加古远时代的佛，譬如原始本初佛普贤王如来或金刚总持等。

有的密续法系的来源还伴随了很多奇特的神话故事。譬如《时轮密续》就据说是佛祖释迦牟尼在印度北部传授《般若波罗蜜多经》的同时在印度南部传授的。佛的这种分身之术倒不是什么稀罕事。

亚洲的修行者对于密续起源的奇特性似乎不以为意。不管密法是由谁、在哪里、为什么，以及怎么传授的，都拥有和佛祖释迦牟尼的任何教义一样同等权威。或许是由他本人亲自传授的，或许是由别的大师或化身在他的指示下传授的，或许是他从别人那里吸纳来的，这些都无关紧要，藏族人相信，《大藏经》中的每一部密续经文都传递了证悟的精神，都完全获得了释迦牟尼的首肯。

密法的梵语是 Tantra，字面上的意思是"流"或"线"。尽管不同的密续在认识论上略有不同，方法论上却都采纳了相同的基、道、果体系。"基"指充满所有未证轮回众生心中的本具佛性潜力。也就是说，任何人都有圆满无瑕的佛性根基。"道"使潜藏的佛性开显所使用的修持方法。"果"是指修行成就的结果，最终达成心灵与体验的高度和谐。用无上瑜伽密续的术语来说就是，成就即为大乐与空性的圆满无阻碍的流动。

密法有时在梵语中又被称为 Guhya mantra yana，意为"密言乘"。在这里，"mantra"（真言）一词与"tantra"有着相同的所指，只是认识角度不同而已。"man"是指"心灵"，"tra"是指"保护"，意为密法是由保护心灵不受普通形相的扭曲影响的瑜伽方法（tra）。这种方法可以让修持者在任何情形下获得天然的圆满，而不是被事物的世俗形相所扭曲。

简单地说，任何熟悉印度宗教传统的人都知道，真言同样也是一种音节或词语组

坛城图

布本设色唐卡　19世纪　89厘米×63厘米

（上页图说）坛城图是一种以几何图形为主的构图，坛城是指佛的宫殿，由外到内以圆形或几何体形体层层相套构成，正中间为主尊或佛，外面图形以水图案及火焰图案装饰，第二层起用圆形的金刚图案、水图案、莲花图案装饰，表示大海、风墙、火墙和金刚墙、莲花墙、护城河，内套正方形或菱形图案表示城墙、屋檐，层层深入，最后到达主尊殿，并用红、黄、白、蓝表示东南西北四方，图案结构复杂，抽象和具象手法并用。坛城绘制难度很大，只有具备高超技艺和丰富多彩宗教知识的画师才能绘制，坛城虽为神佛宫殿，但其内容深奥难懂，是佛教密宗专修课。坛城的构图紧凑，图案繁复多变，装饰性强，具有很美的形式感。

合，可在特定的禅定中作为诵持的一部分。每一个密续主尊都有自己特定的真言，修持者应对其长期诵持和观想，从而与内在本初自我之流建立起联系（tantra）。每一个密续法系都有一系列与之相关的严格的闭关仪式，在此期间应诵咒数十万乃至数百万遍各种各样的真言。譬如，在圣救度母闭关修持中，一般需要诵持真言40万遍。

每一种密续法系都有自己的坛城。这些坛城相互之间有很多共同之处，但也分别拥有自己独一无二的特点，代表该修持体系的独特性。

总的来说，所有密续坛城都由两部分组成：能依，即坛城主尊，在比较复杂的坛城中，则可能是多个主尊；所依，即供养主尊的宇宙环境或宫殿。前者本质上是人，指的是自己及他人，后者本质上是自己和他人居住的环境或外在世界。

坛城的梵语为"mandala"，汉译又为曼荼罗。藏语中被译为kyilkhor，kuil指"精华"，"khor"指"萃取"。合在一起就是指观想能依和所依坛城可以萃取生命、智慧、证悟的精华。也就是说，修持者可以通过将自己、众生和外在环境的普通形相观想为能依和所依坛城中的纯净形相来萃取生命的精华。

在坛城修持中，众生和外在世界都分别被看作是获得证悟的坛城主尊和虹光似的大乐之域。七世达赖喇嘛曾有一偈，描述这一修持方法：

> 随处自观我即佛，幻身显现性且空。
> 安住无相智慧邸，声如金刚思长乐。

在古代，每一种密续体系都自成为一种完整的修持方法。但是，到了公元6世纪或7世纪，人们便开始将所有不同的密续体系汇集在一起，相互对比，并合并整理成为一个整体。最后，逐渐形成了四个密续部：事部、行部、瑜伽部、无上瑜伽部。这一分类方法为大多数藏族人，至少是为萨迦、噶举、噶当、拉鲁、扎鲁、格鲁等新译派所接受。

在这四部中，每一部都有数十种不同的密续体系。每一种都有自己的根本续及后续，以及自己的一个或多个坛城。每一种密续都有自己的主尊、真言以及相应的观想方法。此外，每一种密续都有自己的"传承上师"，这一传统也正是通过他们才得以代代相传直至今天。最后，每一种密续都有自己的法会和灌顶仪式。只有在举行灌顶仪式之后，新学者才能进入坛城，将自己观想为主尊。

很多密续法系都将女佛作为自己的坛城主尊。男性修持者也可以和女性修持者一样，将自己观想为女相。反过来，接受过灌顶，获准进行男佛坛城的女性修持者也应该在修持中将自己观想为男性。

大多数密法修持者都接受过无数的密续法系灌顶，同时拥有男性和女性坛城主尊。因此，密法修持者可能每天都会进行好几次类似的性别转换观想。

在本书第二部分，我们还将看到一系列的双身坛城主尊。在这些法系中，修持者会同时将自己观想为主尊中的男性和女性，相互拥吻，欢爱交合。

第七章

密 法

上一章提到，密法修持有时也被称为"主尊瑜伽"，主尊在这里相当于"佛"。十三世达赖喇嘛（1875年—1933年）在他的《密法导修》一书中这样说道："密法是一种特殊的修持方法，保护心灵不受本能三相的支配，修持者直接从佛果层次开始观想。这意味着，在密法中，修持者将自己和所有其他人都看作和圆满成就的佛一样，拥有四种纯净的品质：完美的形相、完美的沟通、完美的意识、完美的行为。"

他继续说："隐蔽的密乘和公开的大乘在佛果、菩萨道、空性见等方面并没有差别。在这三个领域，显密之间并没有高下之分。然而，密乘有四个殊胜之法优于显乘。"

也就是说，十三世达赖认为，大乘显法和密法拥有三种相同的基质：菩提心，也就是广大的爱与慈悲这一基本动力；空性见，也就是所有现象的终极本质；以及佛果，也就是成佛的最终状态。两者在这三方面是一致的。

接下来，他又讲到了密乘相对于大乘的四点殊胜之处：（1）智慧法门更强大，也就是说，密法拥有更好的获得空性见体验的方法；（2）方法更广大，也就是将自己和他人看作是拥有四佛行的佛这一主尊瑜伽修持法；（3）更快捷方便，显法需要无数次人生轮回才能证得佛果，而密法则可以即世成佛；（4）尤其适用于那些根器成熟之人。也就是说，密法更深沉、广大、轻松、明智。

大多数的密法修持都以诵持以下两段偈语开始：

> 行者皈依直至成正觉，佛陀正法以及圣僧众。
> 因作布施等诸修持故，愿证佛境利普有情生。

> 愿众生永持善因乐果；愿众生永离恶因苦果；
> 愿众生永享无上大乐；愿众生安住般若定境，
> 出离爱憎永无疏于亲。

通过这两偈，密续成就法在开篇就清楚地表明了密法与显法所共同拥有的以广大的爱与慈悲为特征的菩提道。当然，这两偈是属于显法范畴，与实际的密法修持没有关系。他们只是作为密法修持的准备出现。

在偈语之后，通常还会有一段发愿辞："以此功德愿速能，成就……，并将一切诸众生,安立于同等果境。"在这里，我们再一次看到了菩萨愿（菩提心）。

接下来，一般都会有一段梵语真言: om svabhava shuddha sarva dharmah svabhava shuddhoh ham。（汉语音译为：嗡梭巴瓦许达，萨尔瓦达马，梭巴瓦许多杭）。这句真言又称"观空咒"，意思是世间万物皆为空相："嗡，一切现象的本真特性皆为绝对的纯净（空性）。"

修持者诵咒这句真言，然后想象外部世间全部化作一片光明。这片光明又化入众生，众生也融入光明之中；接下来，这片光明又融入自己，从头到脚，直至内心，全部融入在一片光明之中。直至最后，只剩下无尽的光明，没有中心，也没有边际。

这个过程象征着我与他，内与外的区别皆为幻象。"我"与世界没有分别，"世界"与我也没有分别。一切的事物皆相互依存，不可分离。

七世达赖喇嘛曾经有过这样一偈：

> 应化生万物，万物皆由心。
> 此心离生死，安住本初性。

这句真言印证了十三世达赖喇嘛所说的大乘与密乘在空性见上并无不同这一观点。同时，它也印证了十三世达赖所说的密法空观优于显法的观点。密法空观既不同于很多被动地遵守明性的空观法门，也不同于着重分析和质疑的大乘法门，而是直接融入到无限空性的光明之中。在更高次第的修持中，这一"光明"又会呈现出全新的维度。

所有密法导修方法（成就法）都以这一空性见开始，这是密法成功的关键所在。在这里，我们抛弃了普通的、不快乐的、痛苦的、不完美的自己，代之以本初的完美。这只有在完全空性，抛弃自我的情况下才能做得到。我们的生命之所以有限，是因为我们只认得一个渺小的有限的自我。如果我们能够抛弃小我，识得证果，这将会多么令人欣喜！我们的态度决定了自我的局限。

因此，密法修炼的第一层次通常都是"自观"，也就是"重新认识自己"。我们抛下普通的关于我、他人、世界的认识，代之以密乘的圆满观想。密乘对于这三者的认识比我们的世俗的小我认识更接近其终极本质。

如上所述，在自观过程刚开始，观想者融入一片空性的光明之中。在密宗术语中，这一状态被称为"究竟主尊"。也就是说，主尊瑜伽和自观都来自于无限明性这一源头。然后，修持者再根据特定的密续体系进行自观。最后，虚空或光明中生起所依坛城，然后是能依主尊，再然后，观想者从坛城中升起，显现出居住在虹光大乐之境中的佛的形相。

我们在上一章讲过，密续一共分为四部，每一部又都包含了众多的密续法系。每一个密续法系都由一位主尊及其坛城所象征。事实上，每一个法系都是一个完整的证悟方案和圆满之道。

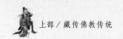

　　所有的密续体系都有很多共同之处，同时也拥有两个修持阶段，即"次第"。第一个次第为"生起次第"，主要是建立起两种内在修为："佛慢"和"明相"。任何密续法系的修持者都应当让自己坚持这两种秉性。前者指的是养成自观为佛的习惯，也就是把自己看作是所修持法系的坛城主尊。后者指的是养成将他人及万物看作是本初智慧的明性显现的习惯。

　　二世达赖喇嘛曾经这样解释过这一次第：摒弃俗世的人事观，代之以能依和所依坛城，这便是生起次第的根本所在。至于密续修持的第二阶段"圆满次第"，不同的法系则有着不同的法门。在所谓的下三部密续，也即事部、行部和瑜伽部，第一阶段又被称为"有相次第"，第二阶段被称为"无相次第"。第一阶段主要与培养"佛慢"和"明相"这两种修为有关。第二阶段则主要是将充满了持续大乐的高度禅定力量转向体悟各种级别的明性。

　　在无上瑜伽部，生起次第又被称为"观想次第"，第二个阶段被称为"圆满次第"。在这里，第一阶段指的是利用佛慢和明性的修持，加上高度的禅定，再集合三个时刻——睡、梦、醒——清除生、死和中阴这三种俗世状态的蔽障。在这个阶段可能会产生类似千眼通、神境通等法力。这一阶段的修持基础就是以第六章所讲到的能依和所依坛城，以及真言诵咒。

　　无上瑜伽部的圆满次第则与轮穴、经脉和能量有关，借以产生身远离的体验，到达最微妙和原初的思想状态，也就是"明性"。

　　二世达赖喇嘛曾有一偈：

> 继而调运金刚身，二脉入中得明性。
> 智慧大乐不二生，珍此圆满次第行。

　　在那些与女佛形相有关的密续法系中，这些能量、大乐、明性瑜伽则主要与本书第二部分《父母尊中的母尊》及《金刚空行母》两章所述传统有关。

　　密宗中有详细的关于男女和合的指导方法。在密法中，这种方法被称为"事业手印"。和合的伴侣是分享"事业"的伙伴；"手印"则是指通过与事业伙伴或伴侣的和合，修行者可进入大乐、光明、不二性的意识状态。这些意识可以通过双方的交合行为产生，并在高潮时达到最高体验。修持者可以通过特定的密宗技巧，延长高潮体验

时轮金刚

贴花唐卡　18世纪　88厘米×49厘米

　　（上页图说）时轮金刚是密宗主尊之一。均为双尊像，男体为四首二十四臂，女体为单头八臂。各首均为三目。明王与明妃共三十二只手，每只手都持有不同法器。明妃为裸体，金刚身披虎皮。明王和明妃彼此以三目凝眸对视，嘴唇碰触在一起，表达"乐空双运"的奥义。画面四角有人物，间或有花木山水等。整幅唐卡构图复杂，画面绚丽多彩，充分显示了清代制作彩缎贴花唐卡高超的工艺水平，可说是西藏贴花唐卡的代表作。

的时间，进而延长这三种意识体验，并将这一独特的意识状态用于更高级的密续修持。

密法相对于显法的四大殊胜之处就在于前者拥有更加丰富的法门。其中就包括善于利用人生的各种体验进行修行，比如双运瑜伽、梦观瑜伽、食观瑜伽、净观瑜伽、中阴瑜伽等等，甚至还有杀戮瑜伽，这样警察和士兵就可以在执行公务时也进行修持。

从某种意义上来说，双运瑜伽比上述其他瑜伽都更加重要，因为高潮体验在密续修持中比饮食或如厕时的意识体验有着更大的用途。在男女和合中所产生的三种强烈的意识——大乐、光明、不二性——也正是获得证悟的感受。这三种体验可以带来究竟圆满佛果，而在高潮中，这三种体验也可以瞬间被同时体验到。

也就是说，普通人的意识只有在高潮中才能最接近佛境，因为大乐、光明、不二性这三种精神体验在这个时候最为强烈。

在有关性的问题上，显法只讲到了不要做什么，而没有讲到可以做什么。譬如，显法经文提到每天性交的次数不能超过五次，不要强迫或诱骗他人与自己发生性关系，不要与幼童性交，不要在新月或满月日性交等等。也就是说，显法只谈到了"不能"，没有谈到"能"。而密法则清楚地探讨了双运的技巧，以及如何通过双运让密法修持更为精进。

在显法中，男性可能拥有一定的优势，而在密法中，女性则拥有更大的优势。这极有可能是由于两者在两性审美趣味上的差异，以及这两种审美趣味分别契合于各自的不同状态所造成的。

紫玛护法，宁玛派竹钦寺之寺院护法，40—41页唐卡细部。

第八章

三宝、三根本与三种女佛类型

密法在四个方面优于显法，其中之一就是速度和效力。传统的印度和西藏地区的经文中都表明，通过显法修成正果需要很多世，而如果是通过密法则只需要一世就可以。因此，在西藏经文中，经常把显法称为恩卓，或是"先行法"。也就是说，密法修持者首先需要接受几年的显法训练，然后才能做好接受密法的准备。

既然藏传佛教将密法看作即世成佛的有效方法，因此我们也就不难理解为什么西藏神秘艺术中所供奉的大多数女佛都与密宗有关。

用宗教术语来说，佛教徒的定义是皈依佛陀、佛法和僧伽的人。也就是说，佛教徒会从三个地方寻求精神灵感和指引：第一是过去、现在和未来的智慧大师；第二是这些上师关于如何修成证果的法门教义；第三是由有着极高修为，明了证悟方法的修行者组成的团体。这就是显法的修持方式。这三个皈依之所在藏语中又称"贡却松"，即"三宝"的意思。显法修持者应每天记念和冥想这三宝，日间三次，夜间三次。密法修持者则会在进行密法观想前颂读一遍祈求三宝的经文，以遵循在进入密法修持之前必须要首先熟悉显法修持的传统。

然而，在实际的密法修持中，这三宝则被"三根本"所取代：喇嘛，也称导师或上师；本尊，或坛城修持尊；以及护法、勇父和空行母。藏传佛教倾向于同时进行显法和密法的修持，不过，当我们将两者分开来谈论时，则是以三宝指称显乘的根本，三根本指称密乘的根本。显法修持者是从三宝中寻求灵性与指引的人，密法修持者则是皈依三根本的人。

西藏文学和艺术中所出现的所有女佛都包含在上述三个层次的三根本密乘经文之中。

第一组是"上师或本师"。在这里"上"意指"过去","本"意指现在，也就是说，他们是过去和现在，已经故去的或是现在仍然在世的伟大导师。佛法正是通过这些导师传承给我们的。

从现在一直追溯至佛祖释迦牟尼，我们可以看到，在这个谱系中共有数千名女性。在本书中，我们将重点讲述那些在藏传佛教中具有特别意义、且为受过佛法教育的中亚人所熟知的十几名女性成就者。

她们有的来自古印度，生活在公元8世纪—11世纪，其中包括比丘尼拉克须米和瑜伽女尼古玛；有的来自西藏地区，比如18世纪的密法修行者耶喜措嘉和瑜伽女玛姬拉尊。她们及其传承在西藏艺术中备受尊崇。我们将在第十八章对这些作品详加阐释。这些女性成就者既是人类的教师，也是佛陀的代表，因此也扮演着皈依佛宝的角色。事实上，作为上师，她们是三宝合一：心灵皈依佛宝，教义皈依法宝，行为则皈依僧宝。

第二组女佛则是由本尊组成，也即修持本尊。第二部分的前四章都讲的是这些本尊。正如前两章所述，这些都是来自于密宗四派的坛城本尊，用作观想和自观的对象。这些女性佛陀不仅是证悟经验的体现，同时也是将修行者引导至她们所象征的证悟境界的工具。由于我们可以通过观想这些坛城本尊修成证果，因此，这些本尊又代表着皈依法宝，与显乘中的佛法扮演着相同的作用。

位于西藏卓玛拉康的度母像。

第三组，则是所谓的护法，"佛法的护持者"，以及勇父和空行母。这些都是西藏艺术的常见主题，在大多数西藏寺庙中都可以看到他们的造像。

这一组中的护法是普通藏民最常供奉的神明之一，几乎相当于我们所说的个人守护神。很多家庭都有他们自己的家族传统护法，其历史传承可一直追溯到公元7世纪和8世纪的藏王松赞干布或赤松德赞时期，也就是佛教在藏地滥觞之际。自那时起，所有家庭就世代供奉一个特定的护法。尽管在西藏谱系中有成百上千个护法，有的护法却比其他护法更多地受到供奉。在第十八章，我们将讲到其中的女性护法。

事实上，这些护法又分为两种类型：一种是"世间护法"，另一种是"出世间护法"。出世间护法又被看作是佛相。也就是说，他们乃是由佛的法身幻化而来，代表着佛的智慧法力。他们的动力来自很久以前所发下的协助和保护献身证悟之道的人的誓愿。有的出世间护法是男性，有的则是女性。其中最重要的一位大概就是吉祥天母，她有21种法相。

世间护法并不能包括在佛相之中，他们是世间神，来自前佛教时期的印度或西藏地区，由于为佛教仪轨所折服，因此发誓护持佛法，为修佛之人提供帮助。在第十八章，我们将会讲到几位世间护法，他们在佛前所发下的誓愿确实给了他们一部分类似于佛的资格。

对密法修持者而言，护法的作用有点类似于僧伽。正如同僧伽支持、鼓励和激发显法修持者一样，护法也支持、鼓励和激发着密法修持者。

勇父和空行母则是第三根本中的另外两种神明，有时他们也通称"空行者"，据传说，他们拥有空间飞行的能力。有的勇父和空行母也被看作是修成证果的佛，拥有本尊的能力。其中包括金刚勇父和金刚空行母。后者我们将在第十五章专门论述。

不过，在第三根本中，勇父和空行母则并非指的是佛相或坛城本尊，而是指密法修持者祈颂和供奉的一种类似于护法的男女神明。不过，勇父和空行母并不像护法那样发过誓愿，而是与密法修行者分享着天生的共同目标。

明妃

布本设色唐卡 19世纪 113.5厘米×74厘米

（左页图说）明妃，是藏密中的女性修行者或者成就者，当她们与男性本尊一起出现时，被称为明妃，而单独出现的女性神灵，则被称为空行母。空行母，藏语"康卓玛"，梵语dakini，是一种介乎天人之间的女性生灵，皆拥有密乘法力。她拥有大力，可于空中飞行，在西藏密宗中是代表智慧、空性的女神。修行者要取得任何成就，都离不开空行母的帮助，她是沟通于佛国与世间的媒介。

空行母分为出世间空行母和世间空行母，前者已达到密乘的资粮道或加行道。后者指那些依靠善德而具有密乘法力，在一定范围内他们可以有益于众生，但亦可伤害众生，并且具有诸如飞升天界等等有限的神通。其形貌多变，通常可分为人形与兽面空行母两大类。

唐卡中，主尊为白色的空行母，裸身，一手持嘎巴拉碗，一手持金刚钺刀，跷起双腿坐于莲花台上。坛城内环绕着各种不同身色的空行母，神情姿势与主尊相同，上界为本初佛普贤如来双身相。其他角落一共有5位空行母，呈舞蹈姿站立于莲台上。

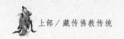

勇父和空行母还有另外一层与性有关的意思，通常用来指密宗修行者行乐空双运时的伴侣。女性修持者的伴侣被称为勇父，男性修持者的伴侣则被称为空行母。密宗经文中论及了各种类型的"勇父和空行母伴侣"。

对他们的不同分类中，以一种三组分类法最为常见，该方法对适于作为密宗修持伴侣的人进行了定义，将其分为咒生、地生、天生。第一类，是指通过受过高度的密续观想训练的伴侣，其资质来自于通过系统修持得来的密法知识。也就是说，这是在密法修持中拥有高度成就的人；第二类人的资质来自于他们所出生的地方，也就是说，他或她是生于地球上最有灵力的二十四圣地，由于拥有该地方的灵气，所以拥有特别的敏感性；第三类，天生拥有与更深层次的意识有关的敏感性，尤其是以大乐、光明和不二性为特点的本初意识，也就是说，他们是天生的勇父和空行母。

空行佛母已经获得圣者位，可以作为皈依处和灵魂的保护者。一般常见的空行母有：狮面空行母、金刚亥母、摩竭空行母、熊面空行母和虎面空行母等。46页唐卡细部。

明妃有时称作佛母，为佛或本尊智悲双运的配偶，一般与佛或本尊一同出现，属于密宗神灵。46页唐卡中心细部。

　　在密法中，作为乐空双运修持伴侣的勇父和空行母就相当于显法中的僧伽。在显法中，高级僧伽可以为修持者提供激励、支持和指引。在密法中，作为乐空双运伴侣的勇父和空行母的角色和功能也大体类似，可以为修持者提供激励、支持和指引，只不过手法和风格都大相径庭而已。

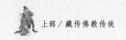

第九章

西藏神秘艺术中的绘画语言

所有的神秘艺术都喜欢象征符号。哪怕只是一个最简单的符号，也足以抵得过一千个词汇，传递着语言所无法触及的深层体验。密宗也将这一基本原则用到了极致，发展出了一整套用以阐释其宗教涵义的艺术语言。即使是一张小小的绘画，其间的象征意义也足以写成一部卷帙浩繁的巨著，神秘的符号无处不在，充盈在每一个笔划之间。

任何一个接受过西藏传统宗教训练的人，在看到一件密宗艺术品时，都可以从这些密码中获得无数的潜在信息，而不仅仅只是诸如传承、年代等信息。这些神秘符号会把观者带出人类的世俗界，进入天地和谐的永恒地带。在这里，观想所见将充盈全身，将观者带入大乐、光明、不二性体验的至高境界。观中所见永远优美、和谐、强大、圆满。即使实际的画像是一尊忿怒的坛城主尊，即使这个主尊面相极其丑陋，它也仍然会将观者引入一个优美与高度和谐的所在。

密宗绘画中最常见的一个象征就是莲花。在显宗中，花有两个象征意义。

第一个意义是代表空性智慧。在一次公开聚会上，弟子要求佛祖说法，佛祖不发一言，只是拈花微笑。在这里，花代表教义。我们看到花，只会觉得它是一朵花，有着一些"花的特征"而已。然而，事实上，一朵花是来自于另一朵花的种籽；这粒种籽汲取了远洋的云朵上滴下的雨水，沐浴了天际的阳光和星光，呼吸了来自四方的清风，摄取了土壤中的养分，而这些土壤则是由数百万年前的祖先尸骨和来自撒哈拉的尘埃所组成。事实上，那朵小小的花中有着整个宇宙的痕迹。看到花，我们不会想到"阳光"、"遥远沙漠的尘埃"、"祖先的尸骨"，或是"印度洋的海水"，我们只会想到"花"。但是，当我们细细地看一朵花，却可以看见无限。"花"本身则仅仅只是一个名字和标签。任何一个受过密宗训练的藏族人在看到画中的花时，都会感受到这一象征意义。

其次，莲花也用来代表产生于空性智慧的慈悲。4世纪的印度大师无著曾经在《空性论》中这样描写过弥勒佛："莲花出淤泥而不染。菩萨居于尘世，同样也不惹半点尘埃。"慈悲促发誓愿，智慧则保证了精神的自由。这里的意思是，菩萨来到尘世普度众生，与出淤泥而不染的莲花一样，完全不为世间的尘埃所障眼，不因表面的美丽而喜，不因表面的丑陋而恶，不因表面的邪恶而嗔。智慧让他得以看透一切事物的空无与无限的本质，而不会像无明之人那样遭遇精神的扭曲、玷污和腐化。

这两种观点在显法中都根深蒂固。密宗则将其更加推进了一步。在这里，莲花象征女性的生殖器、宇宙大乐的所在。对于男女而言都是如此——女性的生殖器官可以给自己和伴侣带来大乐。"莲花"是密宗经文中最常用来指代女性生殖器官的名词。

如上章所述，两性交合的至乐境界被看作是最好的密法修持时机。事实上，以下五种情形都可以让人体会到一种相似的高峰体验：喷嚏打得最响亮的一刻；呵欠打得最大的一刹那；堕入梦乡前的一瞬间；性高潮的一刻；死亡的时候、灵魂滑出身体前的刹那光明。这五种情形都或多或少有着同样的大乐、光明和不二性，可以被看作是通向证悟体验的起点。在双运中，密法修持者就如同怒放的莲花，身心片片舒展，迎接大乐、光明和不二性体验。

通常，在画中主尊头顶的天空中会绘制一个太阳和月亮。在显法中，太阳代表女性的空性智慧，月亮则代表男性的方便、慈悲和善巧。在密法中，太阳代表卵子，也就是我们从女性祖先那里继承下来的一切（在身体中则是由72 000条阴性微细支脉所代表），以及心灵的光明秉性。月亮则代表精子，也就是我们从男性祖先那里继承下来的一切（在身体中则是由72 000条阳性微细支脉所代表），以及心灵的大乐能量。

一名西藏画师正在绘制巨大佛像背后的壁画。

密续主尊通常站立在一个三层法座上：最底层是一朵莲花，第二层为一面日轮，最顶层为一面月轮，其象征意义同上。要把自己变为观中主尊，我们必须站在大乐、光明和不二性（即：莲花）的坚实根基之上；体验空性智慧所带来的自由，激活72 000条阴性微细支脉，并与之和谐一体；并感受温暖清新、无处不在的柔和光线，激活72 000条阳性微细支脉，并与之和谐一体。

同样，自观中的坛城主尊的每一个特征也都是一种象征性的语言。在能够解读这一密码的人眼中，主尊的每一个体姿、每一件饰品、手中的每一件法器、脚下的每一个生物、周匝的每一个随从都传递着秘密的奥义。手中的剑代表斩断俗相，堪破本真的能力。空行母手中的盈血颅器（噶巴拉碗）代表短暂人生中无所不在的殊胜大乐，只要啜饮碗中的鲜血，就可以体验到这一潜能；金刚钺刀象征切断我执；双腿盘曲意指完全禅定；一条腿向内盘曲，一条腿向前舒展代表半禅定半入世。如此等等，不一而足。

最能体现这一秘密语言之奥义的莫过于手印。佛的双手代表着证悟体验的秘密封印。正如同盖上国王印章的信函可以赋予我们通行的自由一样，这些手印也如同佛境的印章，赋予我们穿越证悟之境的自由。在密宗文献中，对于每一个手指的位置都有详细的论述。

与形相和内容一样，颜色在密宗艺术也同样扮演着重要的角色。白色代表水、纯净，是一切形相之源；因为所有生命都来源于水，水可以净化一切，所有的形相都是在本初心灵的洁白画布上绘制出来的。黄色代表土，支撑着所有的生物，代表增加的力量。红色是火，代表改变的力量，等等。颜色和形状一样，传递着情绪和意义。

色彩疗法被广泛地用于密续观想之中。譬如，与长寿佛母白度母有关的长寿修持中，修持者就需要一边诵咒，一边观想全身的所有内部器官都沐浴在五彩光线和甘露之中：首先是白色，然后是黄色、红色，等等。据说，这一色彩疗法可以激活体内的化学物质，治愈潜在的疾病，让身体更加愉悦健康，从而为心灵和生命力提供更好的滋养。

四臂观世音

布本设色唐卡 18世纪 77厘米×39厘米

（左页图说）唐卡上的四臂观世音跏趺坐，戴五叶冠，饰璎珞，从舍放光芒，中央二手持摩尼宝珠合掌于胸前，代表智慧与方便合一双运；右手持水晶念珠，代表菩萨度众之愿循环不息；左手持莲花，代表菩萨无数清净化身。整尊观音安详坐于大瓣仰覆莲台上，身后满布祥云彩光，头顶上方则是一尊弥陀无量光佛。四臂白观音本尊身颜皎白如月，面貌寂静含笑，以菩萨慧眼凝视众生，凡被其观者尽得解脱。

在唐卡中，四臂观世音像通常所含寓意丰富：一头表通达法性，四臂表四无量心，身白色表自性清净无垢，不为烦恼、所知二障所障。头戴五叶冠表五智，五色天衣表五方佛，红色绸裙表莲花种姓，妙观察智。耳环以下为六种庄严表六度。璎珞第一串绕颈表不动如来由禅定成就而来，第二串及胸表宝生如来由布施成就而来，第三串及脐表不空成就如来由精进成就而来。全身花蔓庄严表万行。双跏趺表不住生死，手印表不住涅槃。

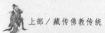

拉萨罗布林卡中的沙画。

第十章

西藏神秘艺术的故事

　　远古时代的西藏传统应该属于一种泛亚萨满文化。这种传统为许多中亚文明所共有，其中也包括在15 000年前至25 000年前移民至北美洲的土著居民。他们正是从西藏－蒙古腹地将这一文化带到了大洋彼岸。两者在宗教符号上有很多的相似之处，譬如"万"字标记和沙画等。时至今日，在西藏的艺术和生活中，仍然可以见到这一史前文化的遗迹。

　　后来，藏族人又逐渐在他们的萨满传统基础上，吸收了强大民族的文化。西藏地处亚洲的中心，四周环绕着好几种发达的封建文明。西边是古波斯王国，早在公元前4000年，藏族人就已经开始受到波斯宗教的影响，并在此基础上发展出了自己的"苯教"传统。到公元1世纪左右，苯教席卷了整个中亚高原地带，成为西藏大多数地区的主要宗教。

　　其次，东边为繁荣的唐朝。在公元前2000年左右，藏族人就已经开始通过战争和和亲从内地吸收各种各样的传统文化。

　　第三，南边为印度。雅鲁王朝的第一任国王就极有可能是来自印度的流亡者。他的名字叫做聂赤赞普，生活在大约公元前4世纪。据说，将中亚部落联合在一起，并建立了吐蕃王国的藏王松赞干布正是他的第33代传人。

　　最后，丝绸之路环绕着西藏，一直向北延伸，穿过唐朝和波斯，并一路往西，直达埃及。在西藏的北部，沿着这条丝绸之路诞生了很多城邦，穿越东西方的沙漠商旅会在这里休憩、养息、补充粮草，然后再次踏上旅途。藏族人无疑也会经常与他们贸易，有时甚至还会占领一两座类似的城市。

　　早在佛教出现于印度之前，西藏就已经开始从这些文明中吸收养份。不过，自公元前3世纪开始，印度阿育王发起的文化交流，佛教开始沿着丝绸之路向外传播，并且进入了中亚地区。在公元7世纪中期，松赞干布统治时期，佛教正式成为了西藏的主要宗教。

　　正如之前所说，藏王松赞干布有两位杰出的妻子，一位来自尼泊尔，一位来自唐朝，她们鼓励他皈依佛教，并将佛教确立为吐蕃王国的主要宗教。他在拉萨为这两位妻子建造了两个宏大的寺院——大昭寺献给尼泊尔公主，叶莫切寺献给文成公主。除此之外，他还下令在王国内的108个主要圣地建造了寺院和纪念碑。

拉萨的一名藏族觉姆正在为我们讲解历史。

要开展这一系列建筑活动，自然少不了大量的画家、工匠和建筑工人。他们大都来自尼泊尔和唐朝，以及其他佛教国家和地区，如北部的和阗，西部的克什米尔等。藏族人与他们共同工作，并从他们那里接受知识和训练。

西藏今天的艺术传统在很大程度上都来自于松赞干布时代。他的两个后代——8世纪的藏王赤松德赞和后来的赤惹巴千——也同样为西藏的佛教文化做出了极大的贡献。因此，在这一时期，西藏的佛教艺术得到了飞速的发展和传播。藏族人把这一时期称为"三法王黄金时代"。所有起源于这一时期的藏传佛教传承都被称为宁玛派，或"旧译派"。

西藏佛教艺术的第二个黄金时代出现在11世纪的宗教复兴时期，在这一时期，西藏开始出现风行全藏的寺院文化。尽管在这之前，西藏已经修筑了好几座寺院，但规模都相当有限，寺院中的僧侣也大都从贵族家庭选拔而来，他们更像是藏族的福神，而不是传统意义上的传法者。

在早期的藏传佛教中，传法的形式更多地类似于苯教，只在家族成员之间进行。佛法只传给家族内部成员，静修所也建筑在家族附近的山上，任何想要学习佛法的人都必须先拜见家族族长，恳请成为该家族的门徒。一旦获得接纳，就类似于被家族所收养，从此进入了该家族的族谱。

11世纪的宗教复兴给西藏的社会生活和艺术带来了翻天覆地的变化。这一浪潮首先开始于西部，由伟大的仁钦桑布译师发起，并发展到了整个藏地。继仁钦桑布之后，这一浪潮中的另一个最为重要的人物就是来自古印度萨诃罗国（今孟加拉达卡地区）的阿底峡大师，他在仁钦桑布的感召下来到了西藏。他就是拉萨附近那座著名的度母寺的建造者。阿底峡的大多数嫡传弟子都成为了僧侣或是觉姆，在西藏各地建立了各种寺庙和静修所。他的大弟子仲敦巴尽管并不是僧侣，但是却建造了拉腾寺作为阿底峡传承的法座所在。这一起源于阿底峡和仲敦巴的传承便是后来的噶当派，又称"口传派"。仲敦巴也成为了另一个被视作达赖喇嘛前世化身的历史人物。

与此同时，玛尔巴译师也在南部的洛达地区发起了自己的小型复兴运动。尽管他本人及其主要弟子都不是僧人，但是他的大弟子米勒日巴却决定让僧人冈波巴担任玛尔巴传承的继承人。冈波巴在达瓦波建造了一座寺院来延续这些传承，由此便诞生了噶举派，又称"耳语传承派"。冈波巴的四个主要弟子也全都是僧人，他们分别建造了自己的寺院。其中一位弟子帕嫫德鲁巴又有八位主要弟子，同样也是僧人，他们又分别建造了八座寺院来延续自己的传承，由此就诞生了四大老噶举派和八大新噶举派。

与此同时，藏西南卫藏地区的昆氏家族也决定从印度寻求新的密续。在这之前，昆氏家族一直信奉的都是宁玛传统。昆氏将贡觉杰布派往印度，师从卓弥译师。回藏以后，贡觉杰布在萨迦山建立了萨迦寺，并最终发展成为了萨迦派。萨迦派从这里开始发源，并逐渐壮大，成为西藏生活的主流力量之一。萨迦派之所以会如此成功，大概就在于它将家族传承的苯教和宁玛传统与这一时期兴起的寺院传统结合在了一起。萨迦派的领袖一般都并非僧人，法王权位也是通过世袭而不是依据个人成就推举出来

的。这一传统一直延续至今，在中亚地区，萨迦寺庙比萨迦平民聚居地更加常见。

这三大教派——噶当、噶举、萨迦——在11世纪的诞生以及他们所掀起的寺院文化热潮导致了这一时期建筑的蓬勃发展。各地纷纷建造起各种各样的僧院、寺庙和静修所。画家、工匠和建筑师再次成为藏地炙手可热的人才，西藏艺术得到了飞速地发展。与三法王黄金时期一样，这些人才大都是由印度、尼泊尔、克什米尔和中原地区输入，不过，在这时，西藏也已经培养了很多藏族自己的佛教艺术大师，并且在所有艺术领域都扮演起了日益重要的角色。

13世纪是西藏艺术发展的另一个重要时期。在这一时期，发生了两件大事。第一件是印度被来自阿富汗和波斯的穆斯林侵入，直接导致了佛教的衰落。另一件大事则发生在半个世纪以后的东亚，蒙古迅速崛起成为超级大国。蒙古人一直把藏族人看作是自己信仰上的兄弟，在建立元朝政权之后，他们开展了大规模引进藏传佛教的活动。马可·波罗也正是在这时来到了中国，他在这里遇见了萨迦派喇嘛秋吉八思巴，后者后来成为了忽必烈的上师。

在元朝，全国建起了成千上万座藏传佛教僧院和寺庙。蒙古统治者从西藏延请了艺匠和建筑师来监督工作，这无疑对中国艺术的发展产生了巨大的影响。反过来，蒙古族、汉族的艺术传统也对西藏艺术产生了很大的影响。在建筑竣工之后，大多数藏族艺术家和建筑师回到了自己的家乡。但是，他们在中原所见所闻的丰富艺术形式，以及蒙古人从欧洲及朝鲜搜集来的很多艺术珍品，都毫无疑问对他们的作品产生了潜移默化的影响。他们不仅体验到了全新的灵感和材料，而且还学会了透视法。透视法曾经改变了文艺复兴早期的欧洲艺术，那时，它也同样改变了西藏艺术。

西藏艺术史学者有时也把这一时期称为萨迦时期，因为在这段时间，卫藏地区的萨迦喇嘛在西藏处于主导地位。这当然是因为忽必烈拜秋吉八思巴为师的缘故。然而，这一建筑运动中的艺术家却来自西藏各个地区和藏传佛教的所有派别。因此，他们的经验也对整个西藏地区产生了影响。透视画法现在几乎成为了所有西藏艺术家的必需技法。

当然，在这之后，西藏艺术还经历了很多个发展阶段。譬如，被罗伯特·瑟曼称为"兜率运动"的建筑风潮，这一风潮发生在14世纪—17世纪期间，宗喀巴和一世

觉、仲师徒像局部

布画唐卡　17世纪　103厘米×68.5厘米

（左页图说）这幅唐卡绘有阿底峡和仲敦巴师徒二人，此图为局部，图中所示为此唐卡画面上的阿底峡像。觉即觉沃杰白登阿底峡，仲即仲敦巴。阿底峡在西藏进行传教活动的十多年中，跟随其学习佛法的弟子很多，其中以仲敦巴、雷必喜饶最著名。仲敦巴于公元1057年修建了热振寺，雷必喜饶于公元1073年在拉萨河南岸修建桑浦寺。在藏区各寺院中，常能见到这师徒三人的塑像和画像。

达赖喇嘛显世之后。曼娘派、曼萨尔派及噶热派等艺术流派都出现在这一时期。瑟曼将这些艺术上的发展看作是藏族人对于生命的观想，以及对兜率净土向往的延伸。当然，他的理论也不无道理，正如这些艺术派别也各有千秋一样。

还有清顺治九年（1652年），集西藏艺术大成的布达拉宫开始重建，这极大地推动了图库（转世活佛）传统及拉章的建设。这些拉章也就成了各地区艺术品的主要赞助人。今天，如果我们评价一件艺术作品为具有"拉章品质"，那就说明它是为过去某个时期的转世喇嘛的私人官邸所作。这也意味着这件作品是由当时最优秀的艺术家创作，所使用的也是最上等的材料。同时，艺术家自己也知道，他的作品将会获得艺术的永生。这件作品将会被供奉在活佛的拉章中，这位活佛的所有后世也都将继续珍

拉萨的按尼桑库觉姆寺内，8位觉姆正在诵持经文。在15世纪初，宗喀巴的6位女弟子在这里的山洞内闭关禅修，获得证果，后来便在这了修建了这座女性禅修所。

在布达拉宫
朝圣的三代女性。

视它，把它当作传统的一部分。艺术家本人的名字也将会进入拉章簿，也就是《拉章
官方记录》，与他们的作品一起，持续利益后世众生。

转世活佛一直都为西藏艺术的最大支持者。很多活佛从孩提时代起就开始研究
艺术，并且一生都将唐卡绘画作为自己的观想工具。当然，很少有活佛能够有时间
或精力成为真正的艺术家——青年时代，他们把绝大多数时间都用在了宗教学习和了
解各种各样的传承之上；成年时代，他们又把绝大多数时间用在了观想、讲法和传
承佛法之上。尽管如此，几乎所有的活佛都仍然会对自己在艺术领域的知识和赞助
成就感到自豪。

白度母

下 部

唐卡中的女性

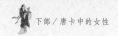

第十一章

圣救度母

圣救度母可以说是藏地最著名的女佛。在整个中亚，几乎每一座寺庙都可以发现她的身影。毫无疑问，她之所以如此盛名远播，与她和观世音菩萨的神话渊源分不开。后者被看作是大慈大悲的菩萨，是西藏的守护神。

圣救度母：诸佛之母

西方关于圣救度母的书籍也有很多。史蒂芬·贝尔（Steven Beyer）的人类学研究著作《度母供奉：西藏神秘仪轨》首次对圣救度母及其在藏传佛教文化中的地位进行了深入的研究。贝尔根据他在印度喜马恰尔－布拉代什州（Himachal Pradesh）大吉镇德鲁库巴－卡祖(Drukpa Kargyu)寺庙所观察到的各种类型的祈祷仪轨，对度母传统进行了深入研究。另一本重要的研究著作则是马丁·威尔逊的《礼赞度母：献给圣救度母的歌》。威尔逊对与度母有关的所有印度和西藏地区的主流经文展开了深入研究，其中包括《根本密续》全书三十五章的内容简介，并对佛教徒对待度母的态度与西方人对待圣母的态度进行了比较。在这里，我们将仅为普通读者和艺术爱好者做一些粗略的讲解。

圣救度母有很多尊号，其中之一就是 rGyal-bai-yum，意为"胜者之母"，通

常也被译为"诸佛之母"。在这里，藏语中的rGyal相当于梵语中的Jina（耆那），是佛陀的同义词。佛可以被称为耆那，或"胜者"，因为他或她战胜了情感和认知的扭曲，获得了世俗和胜义两个层面的真如实相。此外，佛之所以被称为"胜者"，还因为他们战胜了四大魔罗，即烦恼魔、蕴魔、死魔、天魔。度母的另一个尊号是De-bzhin-gshegs-pai-yum，或"如来之母"，如来的意思是"如同原来"，和"耆那"一样，都代指佛。《度母根本密续》中使用了"如来之母"这一尊号。

事实上，"诸佛之母"这一尊号通常用来指称两位女佛，一个是圣救度母，另一个则是般若波罗密多佛母（简称"般若佛母"），意为"智慧圆满"。两者都被称为佛母，渊源却各不相同。

绿度母，99页唐卡细部。

相对来说，由于《般若波罗蜜多经》的缘故，大多数人可能对般若佛母更熟悉。藏传佛教经典中一共有42部不同的《般若佛母经》，全部都由梵文直接翻译而来。因此，有关般若波罗蜜多的知识已广为人知。此外，般若圣母的画像在中国内地、韩国和日本也极为盛行。

尽管藏族人也了解般若佛母，并且同样也贯之以"佛母"的尊号，但是她却并不是他们观想修持的常见对象。这大概是因为她主要是被看作显法中的智慧象征，而不是密法中的观想本尊。因此，她主要是属于普通的显法，而不是深奥的密法。这种对密宗的偏好在西藏可以说随处可见。

般若佛母之所以被看作"诸佛之母"，是因为所有修成佛果的人都需要经过胜义智慧的法门。智慧有很多种，梵文中对于能够带来证悟的胜义智慧用的是"般若"一词。只有这种智慧才能产生佛境。正如同世俗上所有小孩乃是由母亲产出一样，所有求得证果的人也都产生于般若智慧。般若佛母正是这一智慧的象征。

正如八千颂《般若波罗蜜多经》中所言：

> 正如母亲诞生子女，超觉智慧诞生佛陀。

"诸佛之母"这一尊号同时也用于指称圣救度母，因为圣救度母是佛业的象征。因此，圣救度母又被称为"佛业母"。般若智慧可以带来证悟，佛业才是推动这些智慧得以诞生的真正力量。

佛业产生于三身法。正如第五章所讲，法身是所有修成证果的佛陀所持有的一种超越形相的智慧境界。此外，佛还会从超越形相的法身发散出报身和化身，以利益众生。这三种形态统称"三身"。

因此，佛业中的"业"与我们论及世俗者的因果轮回图中的"业"（因缘）涵义有所不同。佛业中的"业"指的是修成证果之后的行为，也就是普度众生，令他们精进修持，以至证得菩提的行为。因此，佛业又通常被译为"佛力"、"佛行"及"菩提行"。

公元4世纪的印度大师无著曾这样描写过佛业：

> 世间无处无法身，

木雕书封 13世纪

　　左首为菩提佛母，其左手为五位禅定佛。这个书封极有可能是三大《般若波罗密多经》之一的封面，这三大般若经分别有十万颂、二万五千颂及八千颂。藏族人通常持有最后一部，以作祈祷之用。每一年，藏族人都会邀请一群喇嘛或觉姆到自己家，高声颂读八千颂。

　　　　　　亦无著相亦无形。
　　　　　　一切因缘皆自此，
　　　　　　普度众生证佛行。

又：

　　　　　　日色无著生丽彩，
　　　　　　莲华吐绽诸种萌。
　　　　　　因缘本来自佛心，
　　　　　　众生精进菩提成。

　　意思是佛的法身无处不在、无往不及。在上偈中，法身被喻为太阳，佛业就好比太阳散发出的光芒。法身散发出无尽的智慧能量，如同太阳光一样无处不在、无往不及。而圣救度母就是这种无处不在、无往不及的佛业的化身或象征。

　　无著大师的偈语说明，佛业激发了存在于世间的从最微小到最复杂的所有善因。佛业可以激励一个人去以饼屑喂食蚂蚁，将蚯蚓从燥热的石板路上救起，去爱一个宠物，或是相互以礼相待。同样也可以激励一个人踏上涅槃之道，精进修为，并最终得见般若智慧，修成圆满证果。也就是说，只有通过佛业，众生才能够为他们的修持和精进创造善因，也只有通过这一善因，他们才能最终得证菩提。

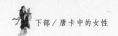

我们已经说过，般若佛母之所以被称为"诸佛之母"，是因为她象征着令所有修成佛果的人最终得以证悟的胜义智慧。相反，圣救度母之所以被称为"诸佛之母"，则是因为她代表了推动众生精进修为，以证菩提的佛力。般若佛母主要与显乘有关，而圣救度母则主要见于密乘修持之中。

大多数修持度母仪轨的人都会通过诵咒口诀，首先令自己化入无限或空性之中，进而建立一种自己就是圣救度母的自我认同，从无生无灭的永恒之光中生起。从进入佛境，到将其引入个人的生活，整个咒诵过程都是通过自观为圣救度母来实现的。

可以说，圣救度母和般若佛母是彼此之母，也可以说她们事实上是以两种不同形式显现的同一女佛。圣救度母通过般若佛母所象征的胜义智慧证得菩提；般若佛母则通过圣救度母象征的佛业证得菩提。事实上，在古印度典籍《度母一百零八相释论》中，度母又被称为"般若波罗密多天女"。

有的西方学者在论及藏传佛教时，喜欢把度母作为"诸佛之母"这一传统与西方天主教中圣母玛利亚作为"天主之母"的传统相提并论。事实上，这种类比是非常肤浅的。玛利亚之所以被称为"天主之母"，是因为她在生理上诞下了基督，而基督被看作是天主。她是"被赐福的女人"，因为她被"赐予了孕育于子宫之果实"。"天主之母"这一称号完全是来自于她作为人类母亲的身份以及她诞于人间的孩子。

然而，度母则并没有在生理上诞下任何后来被视为神佛的孩子。相反，藏人与度母的关系事实上是一种观想关系，其核心在于修持者将自身观想为度母的过程。修持者放弃本来的自己，而代之以"我就是度母"的观想。观想之后，修持者就会通过诵咒连接佛业的广大长河，并利用它得到度母的庇护。

和大多数密法修持一样，正确的圣救度母诵咒和观想可以带来两个方面的影响：即世俗谛上的和胜义谛上的影响。世俗谛上，修持者可以通过与佛业的联系，获得健康、幸福、富裕和成功；胜义谛上，修持者则可以将佛业作为获得证果的推动力量。圣救度母也正是因为这两方面的原因而被称为"诸佛之母"，前者是后者的基石。她代表着无所不在的广大佛业或法力，可以令世俗的条件适于精神的修持，最终达到成佛的终极目的。

因此，她又是每个修持者个人证悟的母亲。过去、现在及将来修成证果的所有人都曾经、正在或将会获得并利用这一无所不在的佛业能量。

在西藏神秘艺术的绘画语言中，色彩是一个很重要的要素。作为"诸佛之母"和佛业象征的圣救度母通常被绘作绿色。绿色代表着能量（梵语：prana），是万物之源；绿色同样也是不可捉摸的风元素（梵语：vayu），是推动意识从此生前往彼生的主要力量；因此，圣救度母也以绿身示人，因为佛业也是通过这种微妙的能量或"风"传递的。

西藏的圣救度母传奇

藏族人对圣救度母的痴迷源于他们对神话的热爱,以及这些神话与他们的历史之间的深厚渊源。

有关圣救度母的神话,在《圣救度佛母二十一种礼赞经》中也有所记录,本经文节选自《度母根本续》第三章。一世达赖喇嘛在阅读前人的藏文译本时,曾为其撰写释文。他首先引用了梵语经文,然后又对其加以详细阐释:

敬礼救度速勇母,目如刹那电光照。

三世界尊莲华面,从妙华中现端严。

他在释文中写道:"相传,大慈大悲观世音菩萨于无量劫前,穷尽所有法力,以利益有情,然众生度不胜度,菩萨因此悲悯落泪,泪滴成海,海中生出莲花,莲花中央坐着圣救度母,她面容绰约,宛若承载着数百万朵莲花的丰姿。"

"因此,所有佛陀的慈悲都化作佛业之泉,圣救度母的形相也由此诞生。她对大慈大悲观世音菩萨说,'大士不必灰心!度生之事业,便由我来协助大士吧!'话毕,她的双眼即闪出一道光网,扫视三界众生。"

这个简单的神话,经过一世达赖喇嘛平实的释义,在藏族人眼中却具有好几层涵义。从宗教寓意而言,观世音菩萨是慈悲的象征,他努力想要解脱众生苦难,但是却鲜有进展。度母代表证悟事业,只有当慈悲引发了证悟的行为,才能在抗击苦难的战争中扭转乾坤。慈悲是必需的首要动力,但是要让慈悲带来大乐,还需要将其与有效的行动相结合才行。

70页唐卡细部。

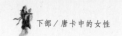

　　从历史神话的层面上来看，藏族人相信，他们与观世音和圣救度母的特殊渊源可以一直追溯到远古时代。在人类出现于地球之前，观世音菩萨还只是一只居住在西藏雅隆河谷的猕猴，而度母则是一个居住在附近岩缝中的雪域女魔。久而久之，两人成为了朋友，并最终相爱结合，生下了最早的6个人类。这个古老的西藏传说远远早于达尔文关于人类是从数千年前的猿猴进化而来的理论。

　　自那以后，观世音与圣救度母便开始合力普度藏地众生，并将他们引上证途，并在西藏历史的转型期以不同形相出现。这种特殊的关系尤其见于7世纪中期，松赞干布王将整个西藏统一于其麾下，并分别从尼泊尔和唐朝迎娶了一位佛教公主，并在她们的帮助下，将佛教确立为西藏的主要宗教。藏族人把松赞干布看作是观世音的化身，两位佛教公主则分别是圣救度母的两个化身。

　　到了11世纪，观世音和圣救度母又再次唤醒了西藏的伟大复兴。发起此次复兴的是杰出的印度大师阿底峡尊者，他是在圣地菩提伽耶（Bodh Gaya）听到圣救度母的石像向他说话之后，才答应前往西藏宣讲佛法的。其时，度母告诉他，西藏之旅将会缩短他的寿命，但却对佛法事业有着无法衡量的利益。因此，阿底峡启程前往西藏，在那里讲法13年之后圆寂。他最出色的一个门徒是仲敦巴尊者，被视为观世音的化身。仲敦巴尊者将阿底峡尊者的教义整理成集，并广为传播，使得它们成为了藏传佛教所有派别的基石。

　　大约300年后，观世音又再次现身。这一次是为后世所熟知的一世达赖喇嘛。自少年时代起，一世达赖喇嘛就将观想圣救度母作为他最重要的每日修持，成年以后，他将这一修持仪轨更加发扬光大。后来，他不幸感染上了一种严重的疾病，任何医生都无法救治，所有人都对此忧心忡忡。他开始严格闭关，修持白度母长寿瑜伽。这次闭关非常成功，他很快复原，并成为了当时最伟大的喇嘛，他的成功为后世喇嘛的成就奠定了基础。从那以后，所有的达赖喇嘛都被认为是观世音的化身，他们都通过观想与诵咒与圣救度母保持着特别的精神联系。

　　藏族人将这些故事以及历史上的许多其他类似的事件都与观世音和圣救度母联系在一起。他们相信，在过去的一千多年，观世音和圣救度母，共同普度、救济西藏众生，并助他们证得菩提。在未来，他们仍将这么做。因此，我们可以说，观世音菩萨是他们最喜欢的男佛，而圣救度母则是他们最喜欢的女佛。

　　当然，他们相信，这两位佛陀的事业并不仅限于西藏地区和藏族人。他们只是认为自己与这两位佛陀有着更强的因缘联系，因此，也更容易受到他们的加持和赐福。

绿度母

布本设色唐卡　19世纪　103.5厘米×67厘米

　　（上页图说）绿度母身绿色，左手捻一朵莲花，左腿单盘，右腿向下舒展，脚踏在一朵莲花上。绿度母顶上的宝冠上镶着红宝石，红宝石代表其精神之父为阿弥陀佛。大多数绿度母都呈少女状，体貌绝美，全身犹如翡翠，绿意盎然。绿，代表着生命和希望，这是人类一种生生不息的创造力量，它将一切阴郁和绝望的色彩排斥在外。绿度母上界还绘有无量光佛、药师佛及阿弥陀佛；下界则绘有手持金刚菩萨、四臂观世音和吉善金刚。

度母在西藏神秘艺术中的常见形相

度母代表着佛业或菩提行，但是这些现象本身并没有固定的表达形式，因此，世界上的度母形相可以说是无穷无尽的。

藏族人对三种不同的度母观想和诵咒有着特殊的偏好，这种偏好又鲜明地体现在西藏艺术作品之中。这三种形相包括：绿度母、二十一度母和救八难度母。

绿度母是圣救度母的主要形相，也是艺术作品中最常表现的度母形相。每一个藏族人都非常熟悉绿度母的基本诵咒和祈文，在每个月的新月、半月和满月之日都会进行度母修持。

二十一度母同样也非常重要。大多数西藏寺庙每个月都会至少举行一次二十一度母仪轨，通常是在半月或满月之日。其艺术和宗教传统一般都基于梵文的《圣救度母二十一礼赞经》。

最后，我们还将介绍救八难度母。本书所收录的救八难度母唐卡全部为单人像，每一幅分别描绘了其中一难度母。度母救八难传说源自《度母根本续》第八章。

除了这三种主要的形相之外，值得一提的还有七眼白度母。这是常见的用于长寿修持的度母形相，由一世达赖喇嘛所修习及推广。这也是最常通过"次旺"（长寿灌顶）法会进行公开灌顶的度母形相。

最后，还有无数关于八臂度母的版本，这种形相更多地与无上瑜伽部，而不是上文所述的事部瑜伽有关。事实上，无上瑜伽部还有一种二十一度母版本，所有二十一个度母都有八只手臂。我们在第十五章《金刚空行母》中收录了几张无上瑜伽部度母的造像。

圣救度母

15世纪　高12.7厘米　青铜

圣救度母

"谭",嗡梭巴瓦许达,萨尔瓦达马,梭巴瓦许多杭。(观空咒)

观自性空。空中生起"帕"字,化为莲花。花上生起"阿"字,化作莹彻的白色月轮,笼罩莲蕊。月轮上升起"谭"字,这就是我的本真,化作一朵青莲花,花上生"谭"字……由此生起,我即为光华四溢的圣救度母。

在圣救度母导修仪轨中,一世达赖喇嘛这样写道。修持者首先令自己化入无限或虚空,然后以圣救度母的形相,从这片广大的光明之境中生起。然后,修持者还要进行各种自观为圣救度母的练习,同时诵咒真言,以达成所想要达成的目的。

在另一篇《圣救度母导修》中,一世达赖喇嘛还详细讲解了诵咒的八种用途:(1)养气;(2)赋能;(3)利智;(4)扬名;(5)祛病;(6)消灾;(7)静心;(8)驱魔障。

在这幅唐卡中,主尊位就是圣救度母。面相娴静,通体碧绿。周匝坐着1008个各种形相的小度母,代表度母的佛业在世间显现,利益众生的数千种方式。座下为八头狮子(图中只能看见两头),意指她具备八种证悟品质,譬如无畏。

度母右手结"与愿印",象征观想和诵咒可以满足众生快乐、健康、财富以及千眼通等世俗成就。

左手结"皈依印",象征她的观想和诵咒可以庇护佛陀(智慧)、佛法(知识)和僧伽(和谐);以密宗的术语来说就是,象征她集上师、本尊和护法这三种功能于一身。双手各持一枝青莲花,意指修持者可以在日常生活中也体验到她在密续传统中的美丽和纯净。

她的右腿向下舒展,结半跏趺坐表明度母修持者并不会远离世间事务,反而积极参与其中。她的左腿单盘,结禅定坐,表示尽管度母修持者积极入世,但是心灵却永远处于禅定的均衡状态。正如一世达赖喇嘛所说:

> 证寂悲亦依他起;沉溺苦海诸有情。
> 悲手速疾作济拔;悲愍已能到究竟。

上界正中坐着的是阿弥陀佛,因为度母属于阿弥陀佛所象征的莲花部(事部三"出世部"之一)。下界为半怒作明佛母,呈舞姿。

与大多数事续部坛城本尊一样,度母也通常被绘制得面容极为年轻,大约16岁左右。这是因为般若智慧不仅可以赐予人精神上的活力和欢愉,而且也会让人容颜常驻,行如刚刚成熟的少女。

圣救度母

布本设色唐卡 17世纪—18世纪 154厘米×98厘米

二十一度母

在一篇二十一度母修持仪轨释文中，一世达赖喇嘛曾这样写道："在三十五章的《诸佛之母度母礼赞经》第三章就是著名的赞颂二十一度母的经文，尽管本经文属于密续事部，但是这二十一礼赞经也可以说与无上瑜伽部有一定联系。"

也就是说，二十一度母修持仪轨的藏语经文是从梵语翻译而来，起源于印度。此外，在三十五章的《度母根本续》第三章也可发现这些礼赞二十一度母的经文。

二十一度母修持盛行于藏传佛教各派。很多艺术及图像传统都起源于各宗派的上师对二十一度母的修持体验和观想所得。在这里，我们将介绍其中两幅最广为流传的作品，其传承都是来源于11世纪前往西藏传法的印度大师阿底峡尊者。

一世达赖喇嘛所提及的经文就是《二十一度母礼赞经》。本经通常是所有初入寺庙的年轻喇嘛或觉姆所背诵的第一篇经文。在西藏，打算终生出家的儿童大都会在大约5岁至10岁时入册。在还没有学会读书写字之前，他们便已经学会背诵这篇《度母礼赞经》。这也是所有西藏俗家学校一年级学生的必背课文。因此，所有藏族人都能够将这一经文详记于心。你可以问一问身边的任何一位藏族人，几乎人人都可以毫不迟疑地倒背如流。

大多数西藏寺庙每个月都会举行一次或多次二十一度母法会，时间通常是半月、满月或无月之日（新月前的一天）的清晨。这个法会被称为"度母四坛城仪轨"。在法会上，修持者把自己观想为圣救度母，同时观见面前出现度母坛城。接下来，修持者就会进行四轮观想，每一轮都会举行一次象征性的供奉仪轨，并诵持七遍二十一度母礼赞经，并诵咒度母真言。一般来说，在前三轮中，应该诵持十字度母真言300遍，最后一轮为400遍。在整个仪轨中，修持者需进行四次坛城供奉，诵持二十八遍二十一度母礼赞经，诵咒度母真言1000遍。法会的功德一般都加持给有情众生，或是服务于其他特定的目的。

很多西藏家庭每个月都会邀请喇嘛或觉姆前往他们的居所，举行一次二十一度母仪轨。有时，较为富裕的家庭则会在需要特别赐福时举行"卓玛本"仪轨，或"十万度母"仪轨。也就是将二十一度母礼赞经诵持十万遍。一些大型的拥有两到三千僧众的寺庙可以在一天之内完成这一仪轨，但是对于小型的寺庙，则可能需要很多天，甚至很多个星期才能完成。

很多藏族人在迁居、兴业或是添丁时会举行这一仪轨，以祈求健康、成功和保护。人们相信，这一仪轨可以为世俗的人赐予佛业，更重要的是，让所有相关的人事都获得最大的精神利益，从而激发最高的智慧能量。譬如，一个商业机构可能会由于贪婪、滥用权力及资源而产生恶业，但是，一旦能够以服务世界的精神去经营企业，并祈祷所有参与其中的人都能获得幸福、成长和智慧等加持，那么它就是善业的根源。卓玛本就属于后一种情况。

金色度母，79页唐卡细部。

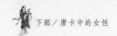

二十一度母：阿底峡传承

在这幅唐卡中，主尊为金色度母，呈标准的绿度母形相。也就是说，她和绿度母一样，结半跏趺坐，施相同的与愿印，双手各执一曲青莲花，等等。在上一幅唐卡中，我们已经详细解说了绿度母的宗教象征，其意义也同样适用于本幅唐卡。

之所以体色为金色，大概是因为上界的三尊菩萨：文殊菩萨（中，黄色），观世音菩萨（文殊菩萨右边，白色）和金刚手菩萨（文殊菩萨左边，蓝色）。这三尊菩萨分别象征智慧、慈悲、信愿，在西藏被称为"圣三部主"（Rigsum Gonpo）。位于画面正中的度母代表了加持的力量。也就是说，在这里，度母观想可以增加智慧、慈悲和信愿的力量。如果我们进行度母坛城观想，就能获得这三种力量的加持。

上界、下界和周匝其余造像为二十一度母，基本形相类似于正中的金色度母，不过仍然有少许但却是极其重要的差别。

首先，她们只在左手执青莲花，右手持净瓶，内盛"智慧甘露"，意指进行二十一度母观想和仪轨的修持者可以痛饮佛业的甘露，在世俗（健康、繁荣和家庭成功）和胜义（个人证悟）两个层面获得精神上的成功。

这二十一度母造像的另一个图像特点就是：她们共分为四组，每组各五种颜色：白色、黄色、红色、深蓝色和烟绿色。最后一个位于正下方，体红色，意味着主尊所象征的加持力量经由第二十一个度母得到了进一步加强，因此呈现出代表力量的红色。

在一世达赖喇嘛所造的赞歌《妙绘赞》（汤芗铭译——编者注）中，对二十一度母的五色涵义做出了解释：

> 息增摄伏诸事业，如大海潮不越时；
>
> 任运相续恒趣入，事业已能到究竟。

如前所述，圣救度母代表着修成证果的佛业。在密法修持中，我们将自身及他人都观想为坛城主尊的形相，世间所有行为都由佛业幻化而来。我们将以四种方式展示我们的爱和慈悲，作为佛业的体现。

这四种佛业的体现分别由二十一度母的四种颜色来表现。白色的佛业可产生息——和谐；黄色的佛业可产生增——繁荣；红色的代表摄——威严；深蓝色的佛业代表伏——怒气。密法修持者会修持并表达这四种情感。除此之外，这四种情感还可以合而为一，成为烟绿色。

从这幅唐卡中，我们无法看出委造者所属的派别。由于来自印度的阿底峡传承为所有三大新译派以及无数的小宗派所共同拥有，因此这幅唐卡的历史也可以追溯到其中任何一个派别。

二十一度母：阿底峡传承 　布本设色唐卡 　19世纪 　128厘米×89厘米

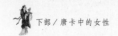
二十一度母造像：萨迦派的诠释

这幅唐卡对二十一度母则有着完全不同的艺术诠释。位于中央的主尊和环绕四周的二十一度母全都呈金色。二十一度母位于主尊的背光之中，表示她们都是同一度母的化身。事实上，二十一度母都有自己本来的体色，金色是由委造这幅唐卡的人添加上去的，作为对度母的供奉。在西藏，委造者有时也会要求艺术家用金色来装饰所有造像，作为一种供奉功德。这种情况并不常见。

很显然，从中央主尊身后宫殿中所绘的上师来看，这幅唐卡应该属于一位萨迦派的喇嘛。位于观者右边（主尊左边）的这位喇嘛是最早的萨迦喇嘛之一。主尊右边的印度大法师是毗卢婆，萨迦传承的创立人。

这幅唐卡中的其他造像也全都是萨迦派的主要本尊。其中，最重要的两尊就是大威德金刚和欢喜金刚的双身相。在第十四章《父母尊中的母尊》中，我们将对此进行更多阐述。主尊右上方是作明佛母，左上方是神秘的狮头空行母。这两位空行母斜上方的深蓝色造像是萨迦传统中的两位重要护法神。

圣救度母和二十一度母下方是供养天女。她们代表五种感观所感受到的事物，以及世俗存在的一切事物向佛业的转变，也就是向有利于获得证果和广大善业的方向转变。

（右页图说）

二十一度母：萨迦派的诠释

布本设色唐卡　19世纪
53.3厘米 × 31.8厘米

绿度母及背光中的
二十一度母，81页唐卡
细部。

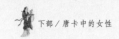

阿底峡传承：四度母造像

　　大多数时候，我们都是在同一幅唐卡中见到二十一度母。然而，有的时候，一些拥有强大的"度母四坛城仪轨"以及"十万度母仪轨"传统的僧院、觉姆寺以及喇嘛居所，也会为二十一度母单独造像。在这里，我们将介绍一套来自阿底峡传承的二十一度母像中的四幅。每一幅都体现出了西藏艺术典型的摄人美感和精妙技艺。

　　与传统的二十一度母造像一样，这套造像分五个颜色组，每组四个度母：白度母，象征息——和谐；黄度母，象征增——繁荣；红度母，象征摄——威严；深蓝色度母，象征伏——怒气；以及象征集四种佛业于一体的烟绿色度母。在这组造像中，每一种颜色都以四个不同的色调来表示，以显示每一种佛业由基本向高层次的升华。

　　此外，在这二十一幅唐卡中，每一幅中央主尊度母四周都环绕着坛城主尊、上师、空行母和护法。全套唐卡就好像其所属寺院的一张密法修持地图。其中几幅唐卡的顶角处绘着格鲁派喇嘛，说明它们一度曾属于格鲁派寺庙或喇嘛居所。事实上，这些喇嘛造像是班禅喇嘛的各种化身，因此，这套唐卡可能来自于札什伦布寺的附属寺院。从唐卡中的坛城本尊以及护法也同样可以看出，它们应该是属于格鲁教派的某一个机构或个人。

白度母

布绘唐卡　19世纪　79厘米×59厘米

　　白度母首戴华冠，芝麻面，眉似弯月，双目细长，鼻直嘴小，左手执莲花，右手施无畏印，身饰璎珞，结跏趺坐于莲台上，背光周围布满艳丽的莲花，整个画面色彩丰富华丽，给人一种金碧辉煌的感觉。

　　度母是梵名，全称"圣救度佛母"，亦称"救度母"，共有二十一尊，都是观世音菩萨的化身，白度母是其中之一。

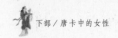

阿底峡传承二十一度母：白度母

　　这尊白度母体色洁白，面相祥和，隐有笑意，象征着"息"——和谐的佛业。她右腿微展，左腿盘曲，似乎正从入定中苏醒，四周是丰茂的绿色背景。一个绿色的女性造像坐于正前方，正在向她供奉一卷卷五颜六色的珍贵织锦。

　　位于上界正中的是无量寿佛，双手结入定印。左边是绿度母，右边是长寿度母。主尊下方站着三个护法，守护着度母修持者的安全、繁荣和成功。

　　在白度母的背光上，写着几个金色的字母，意为"左边第十个"。这组唐卡以前大概是悬挂在单面墙壁上，一幅位于中央，两边各有十幅。这一幅应该是位于中间一幅画像的左边第十个（观者的右边）。

护法。85页唐卡细部。

（右页图说）

白度母

布本设色唐卡　18世纪　48厘米×29厘米

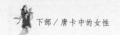
阿底峡传承二十一度母：黄度母

在这幅唐卡中，中央主尊是黄色，微带橙色调。下首有一个红色的女性造像，手捧金色托盘，向她供奉食物。再下方是一个很小的深色男人造像，双手绑缚在背后。这大概是象征度母修持能够让人解除束缚、奴役和监禁。

上界左边是本初佛金刚总持，体深蓝色，持金刚杵和法铃，怀抱明妃，行乐空双运，象征度母密续修持所能证得的智慧境界。右上方是11世纪的印度上师阿底峡，法名吉祥燃灯智，是二十一度母传承的创立人。

下方站着两个护法，守护菩提道上的修行者。

主尊背光上的金色藏文意味"左边第九个"，说明它应该是位于中央一幅的左边第九个（观者的右边）。

护法。87页唐卡细部。

（右页图说）

黄度母

布本设色唐卡　18世纪
48厘米×29厘米

一道彩虹从一位格鲁派喇嘛的胸口流向文殊菩萨，说明他被看作是文殊菩萨的化身或转世，89页唐卡细部。

阿底峡传承二十一度母：红度母

在这幅唐卡中，度母面有三目，微带怒容。第三只眼睛是"勇猛智慧之眼"，用于寻找修成善果需要驯伏的对象。

上界坐着的是象征空性智慧的文殊菩萨，手持智慧剑和一曲莲花，花中放着一部《般若波罗蜜多经》。在他的左边是大威德金刚，又称怖畏金刚，怀抱白达里空行母，即"复生金刚母"，行乐空双运。象征忿怒度母可以利用空性智慧摧毁死神的力量，令堕入黑暗中的人复生。

在文殊菩萨右边坐着一位格鲁派喇嘛，右手结说法印，左手结禅定印。一道彩虹从他的胸口流向文殊菩萨，说明他被看作是文殊菩萨的化身或转世。历史上有好几个格鲁派转世活佛被看作是文殊菩萨转世，其中，近当代最重要的一位文殊菩萨转世活佛就是贝斯林祖古。

下界站着两个护法，两者都属于"世间护法"级别，说明这套唐卡来源于藏地。

（右页图说）

红度母

布本设色唐卡

18世纪　48厘米×29厘米

头戴黄帽的夏鲁派或格鲁派喇嘛，91页唐卡细部。

阿底峡传承二十一度母：黑红色度母

这尊黑红色的度母眼神微怒，口露白齿，显忿怒相。在她面前摆放着一个碧琉璃碗，内盛许愿珠和金色法轮。这个喻意吉祥的供奉象征着度母修持能够实现所有的愿望，最终带来圆满佛法，或修成证果。

左上方是忿怒尊甘露漩，红色，单面双臂，与明妃行乐空双运。右边是仁钦南杰喇嘛，为13世纪上师布顿仁钦突的弟子之一，同时也是班禅喇嘛的前世，行伏魔仪轨，手执普巴杵，上缚黑布。他左边的青烟和火焰就是正被降伏的魔鬼。

左下角坐着三位僧侣，其中两人头戴黄帽，可能属于夏鲁派或格鲁派。另一个则可能是觉囊派的波东宁玛。

右下角站着的是玛哈嘎拉护法，右手持檀木法器，左手持骷髅头骨，四周环绕着橘红色的觉正净火焰。

主尊背光上的金色藏文意味"右边第四个"，说明它应该是位于中央一幅的右边第四个（观者的右边）。

（右页图说）

黑红色度母

18世纪　58厘米×42厘米

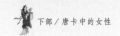

《圣救度母二十一种礼赞经》

在《圣救度母二十一种礼赞经》释文中，一世达赖喇嘛引用了梵文原版的礼赞经。他将这些赞呗称为“真言”，相当于咒语。因此，诵持这些经文时，所看重的并不是它们的实际意思，而是诵持所能带来的加持和祝福。藏文的礼赞经每节四颂，每颂八拍，重音位于第一、三、五、七音节上。念诵速度很快，有点类似单调式唱经法，就好像在四个不同的鼓之间连续转换的鼓点，每个鼓上分别击打两次。

一世达赖喇嘛还对度母这一称呼做出了解释：“度意味着普度，或释放，指出离苦海的状态。度母则指的是不分爱憎，对有情众生的平等之爱。度母所象征的对有情众生的爱类似于母亲对所有子女的爱，不分彼此，一视同仁。”

然后，一世达赖喇嘛分别解释了每一节经文的意义，以及相关的度母尊号。以下就是二十一节经文，以及相应的度母尊号。由于篇幅所限，在此我们抄录部分经文注释。

1. 敬礼救度速勇母，目如刹那电光照；
三世界尊莲华面，从妙华中现端严。
(本节所赞颂的是聂瓦巴姆，即“奋迅度母”)

2. 敬礼百秋朗月母，普遍圆满无垢面；
如千星宿俱时聚，殊胜威光超于彼。
(本节是绰瓦嘎玛，即“威猛白度母”)

3. 敬礼紫磨金色母，妙莲华手胜庄严；
施精勤行柔善静，忍辱禅定性无境。
(本节是色朵坚玛，即“金颜度母”)

4. 敬礼如来顶髻母，最胜能满无边行；
得到彼岸尽无余，胜势佛子极所爱。
(本节是祖多南迦玛，即“顶髻尊胜度母”)

5. 敬礼怛啰吽字母，声爱方所满虚空；
运足遍履七世界。悉能钩召摄无余。
(本节是吽珠玛，即“吽音叱咤度母”)

6. 敬礼释梵火天母，风神自在众俱集；
部多起尸寻香等，诸药叉众作称叹。
(本节是久丹松嘉玛，即“胜三界度母”)

7. 敬礼特啰胝发母，于他加行极摧坏；
展左踡右作足踏，顶髻炽盛极明耀。
(本节是贤绛玛，即“破敌度母”)

8. 敬礼都哩大紧母，勇猛能摧怨魔类；
于莲华面作颦眉，摧坏一切冤家众。
(本节是都达绛玛，即“镇魔度母”)

9. 敬礼三宝严印母，手指当心威严相；
严饰方轮尽无余，自身炽盛光聚种。
(本节是贡确松巧玛，即“供奉三宝度母”)

10. 敬礼威德欢悦母，宝冠珠鬘众光饰；
最极喜笑睹怛哩，镇世间魔作摄伏。
(本节是都旺底玛，即“摄魔度母”)

11. 敬礼守护众地母，亦能钩召诸神众；
摇颦眉面吽声字，一切衰败令度脱。
(本节是彭巴贡赛玛，即“解贫度母”)

12. 敬礼顶冠月相母，冠中现胜妙严光；
阿弥陀佛髻中现，常放众妙宝光明。
(本节是哲金玛，即“救饥度母”)

13. 敬礼如尽劫火母，安住炽盛顶髻中；
普遍喜悦半趺坐，能摧灭坏恶冤轮。
(本节是美黛巴玛，即“烈焰度母”)

14. 敬礼手按大地母，以足践踏作镇压；
现颦眉面作吽声，能破七险镇降伏。
(本节是绰聂坚玛，即“忿怒度母”，又称“颦眉度母”)

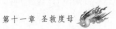

15. 敬礼安隐柔善母，涅槃寂灭最乐境；
    莎诃命种以相应，善能消灭大灾祸。
    （本节是希瓦钦姆，即"大寂静度母"）

16. 敬礼普遍极喜母，诸怨支体令脱离；
    十字咒句妙严布，明咒吽声常朗耀。
    （本节是仁乃贡赛玛，即"消疫度母"。）

17. 敬礼都哩巴帝母，足蹑相势吽字种；
    弥噜曼陀结辣萨，于此三处能摇动。
    （本节是欧珠贡作玛，即"赐成就度母"）

18. 敬礼啰萨天海母，手中执住神兽像；
    诵二怛啰作发声，能灭诸毒尽无余。

    （本节是都赛玛，即"除毒度母"）

19. 敬礼诸天集会母，天紧那罗所依爱；
    威德欢悦若坚铠，灭除斗诤及恶梦。
    （本节是杜俄贡赛玛，即"除厄度母"）

20. 敬礼日月广圆母，目睹犹胜普光照；
    诵二喝啰咄怛哩，善除恶毒瘟热病。
    （本节是柔巴卓玛，即"明心吽字度母"）

21. 敬礼具三真实母，善静威力皆具足；
    药叉执魅尾怛辣，都哩最极除灾祸。
    （本节是久丹松约玛，即"震撼三界度母"）

　　随后，一世达赖喇嘛又指出了最后一部分所阐释的四大主题：修持者的态度，修持的时间、修持的利益、诵持的次数，以及诵持的整体惠益。

若有智者勤精进，至心诵此二十一；
救度尊处诚信礼，是故赞叹根本咒。
每晨旦起夕时礼，忆念施诸胜无畏；
一切罪业尽消除，悉能超越诸恶趣。

此等速能得聪慧，七俱胝佛所灌顶；
现世富贵寿延安，当来趣向诸佛位。

有时误服诸毒物，或自然生或合成；
忆念圣尊真实力，诸恶毒药尽消灭。

或见他人遭鬼魅，或发热病受诸苦；
若转此赞二三七，彼诸苦恼悉蠲除。

欲乞男女得男女，求财宝位获富饶；
善能圆满随意愿，一切障碍不能侵。

　　在这里，一世达赖喇嘛解释说："诵持二十一度母真言的基础是'度母四坛城仪轨'。"

　　接下来，他解释了以上礼赞经最后一节第二颂中的"二、三、七"的意义。在这里，"二"意指希望求得子女的人应该举行两次度母四坛城仪轨；"三"意指期望求得财宝的人应该举行三次度母四坛城仪轨；"七"意味着只要能举行七次度母四坛城仪轨，所有祈祷就都能得到满足。

　　然后，他又阐释了以上数字如何在另一传统中被用作每日精深修持的基础。他说，"二"指的是修持者的先决条件，他或她应该具有敏锐的学识，能够坚守信愿。"三"指的是晨昏定礼的次数，加上每天日间的一次诵持，一共是每日"七"次真言诵咒。

　　他还介绍了另一种将二十一度母礼赞经及相关咒语用于二十一日精深修持的传统。在这里，对"二、三、七"的阐释分别如下：如果一个人能够如上所述，拥有两种资质，每天举行三次仪轨，共诵咒真言七次，连续三七二十一天——所有的愿望就都能够实现，而修持者也能成为无畏的宝藏。所有阻止修持者到达彼岸的障碍都会变得虚弱无力，所有的敌人都会自动弃甲而逃。

妙音天女，110页唐卡细部。

　　最后，他还介绍了著名的夏鲁派喇嘛布顿仁钦朱的七日精深修持仪轨。在这一仪轨中，"二"指的是日和夜，"三"指的是日间和夜间分别举行的三次法事，日间的三次法事分别在日出后、正午和日落前举行，夜间的三次法事分别在黄昏、午夜和凌晨举行。就这样，每日六次，连续举行七日，诵读真言四十二次。他引用布顿仁钦朱的话说："如果一个人能够连续七日以上述方式诵读真言，就能获得上述所有加持。"

　　值得一提的是，一世达赖喇嘛还在这里列出了圣救度母的二十一种称号，并将其与每一节真言相对应。在藏地，还另有一个圣救度母一百零八称号的传统，毫无疑问，其中也显然有自己的人文传统存在。不过，尽管一世达赖喇嘛所列出的二十一度母广为藏地和其他中亚地区人民所熟知，一百零八度母却基本上寂寂无闻。

救八难度母

　　"救八难度母"是另一个与圣救度母有关的有趣传统。和二十一度母修持一样，这一传统也同样来自于《度母根本续》。在《根本续》第十一章，有一小段经文特别论及了这一传统的来源。这段经文也同样被称为"真言"，同样以咒语的方式进行诵持。

　　和《圣救度母二十一种礼赞经》一样，《救八难度母礼赞经》同样也被收录在藏族人熟知的《真言集》中，大多数藏地僧尼都拥有这样一部《真言集》。这部经文通常被称为《救八难度母真言》。尽管经文是从《度母根本续》第十一章摘录而来，有时也被单独称为《救八难度母经》。这大概是因为，这18节经文在语言上更像是显法，而不是密法。

　　藏人经常会委托僧尼为他们唱诵《真言集》。《真言集》很长，唱诵一次需要四个法师一整天才能完成。这是唯一能够听到唱诵《救八难度母真言》的场合。和人人都对《二十一度母礼赞经》详熟于心不同，很少有藏族人会背诵《救八难度母真言》。大多数藏族人都对一世达赖喇嘛的救八难度母释文更加熟悉。

　　有的时候，救八难主题是通过单幅唐卡来表现，圣救度母坐在正中，其余八位度母环绕四周。"八难"本身也同时会在唐卡中表现出来。

　　同样，八难主题有时也会单独出现，每幅唐卡表现一个主题。这两种类型的传统在本书中都有介绍。

　　绿度母为此幅唐卡的主尊。作为一种特别供奉，绿度母被绘成金色，96页唐卡细部。

救八难度母

此幅唐卡主尊为绿度母,安坐于世间的各种纷乱之中。绿度母的身色本应该是象征大智慧的绿色,不过在这幅唐卡中,作为一种特别供奉,她被绘成了金色。救八难度母也同样是金色的。上界是阿弥陀佛,双手结禅定印。

八位度母依次是:

(1) 救水难度母:在主尊右下方,我们可以看见两个僧侣正在向主尊祷告,祈求解除水难。

(2) 救狮难度母:阿弥陀佛左边。

(3) 救火难度母:救狮难度母下方,坐在一片浓厚的雨云上,右手持净瓶,里面可以倾倒出大量的雨水。

(4) 救蛇难度母:左下角,正在保护一位女信徒。

(5) 救象难度母:右上角,度母正在保护一位信徒免受象难。

(6) 救贼难度母:救象难度母下方,度母正在保护一位孤独的旅行者,使其免受两个骑在马上的窃贼所害。

(7) 救牢狱难度母:再下方,度母正在保护一位虔诚的祈祷者免受不公正律法导致的牢狱难。

(8) 救非人难度母:正下方,度母坐在一堆许愿珠和珍宝前,保护一对信徒免受红色魔鬼的攻击。

从这幅唐卡中看不出委造人的流派或宗派。然而,从右下角房屋内的一对信徒的衣着来看,这幅唐卡应该是来自东北藏。他们显得快乐、健康、富足,显示出救八难度母修持所带来的生活品质。

救八难度母

布本设色唐卡 18世纪 65厘米×44厘米

救非人难度母,
96页唐卡细部。

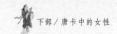
救八难度母系列唐卡之中央主画

在西藏艺术中，组画通常都是为了悬挂在单面墙面上而设计。在这种情况下，一般会额外绘制一幅唐卡，悬挂在正中心，起到主画的作用。画中主尊通常是直视正前方。悬挂在左边或右边的每一幅唐卡中的主尊则微微侧身，似乎在凝视中央的主尊。因此，所有右边唐卡中的主尊都往左看，所有左边唐卡的主尊则全都往右看。这组救八难度母唐卡也同样如此。事实上，这套唐卡一共有九幅，其中一幅是中央主画。

在这幅唐卡中，中央主尊直视前方，似乎正凝望着我们。在她的左右两边的四幅唐卡中，八难已经全部平伏，因此主尊四周的场景一场安宁祥和，与这组唐卡的其他几幅背景迥然不同。我们可以看到，后者充满了被盗贼和野兽袭击的场面，只有那些记得向度母祈祷的人才能脱离危难。

左下方是一座宽敞的大屋，一对夫妇快乐地坐在二楼上，欣赏着世间的美景。在他们身后的隔架上，摆放着珍贵的珠宝、成卷的锦缎、一袋袋的糖果，象征着他们在世间的成功和繁荣。在大屋的楼下，我们可以看见另外一个人，可能是他们的儿子，旁边同样摆放着珠宝、锦缎等物。另一个家庭成员则正在桥上漫步，欣赏溪流中的天鹅、野鸭和家鹅。

在这组唐卡中，画家表现出了对园林建筑的热爱。从这座房屋的造型与其周围景观的关系，都表现出了艺术家的独具匠心。房屋建筑在溪流上方，右边有一个凹陷的莲池，环绕房屋的流水一层层流下，制造出潺潺的水声和清凉的效果。小桥流水、日月流云、碧树繁花，整个园林优美和谐，均衡雅静。度母行宫内也同样绘制着花园、莲池和小溪，美不胜收。

（右页图说）
救八难度母系列唐卡之中央主画
布本设色唐卡　19世纪　133厘米×79厘米

99页唐卡细部。

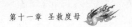

救狮难度母

一世达赖喇嘛曾经在献给圣救度母的《妙绘赞》中这样
写道：

> 坏聚见坑为所依，望他计胜心高举；
> 轻蔑他怀锐利爪，我慢狮怖祈救护。

八难中的第一难就是狮难。这是一个譬喻，意指像
狮子一样的骄慢，正如一世达赖喇嘛所说，狮"坏聚见
坑为所依"。也就是说，骄慢是由于对现实的错误理解
而产生的扭曲的意识，这是"望他计胜心高举"，只
能以"轻蔑他怀锐利爪"攻击世人。

度母面向右边，说明这幅唐卡是挂在中央
主画的左边。在画面右边和下方，一头雪狮
子正在攻击行人。不过，一个度母的幻化
身（从形相看，大概是叶衣佛母）将行
人带到了安全之地，并且用掌风击退
了雪狮。

正下方有两只安静吃草的鹿，
象征着度母观想所带来的宁静与和
谐境界。这两头鹿，一个代表广大
的爱，一个代表空性智慧。右下方
的水池中，莲花盛开，象征度母修
持所带来的纯净与优美境界。

佛教历史中有很多关于成就
者通过智慧、爱与禅修驯化野生动
物的轶事。譬如，在18世纪，有一个名叫寂天的印度僧人，由于成日无所事事，只
知吃喝拉撒和睡觉，因此被人们赶出了寺庙，谁知他竟然飞升空中，消失不见了。人
们为这一神迹所震撼，心存愧疚，想要把他重新找回来。最终，他们在一个山洞中发
现了他，其时，他正在坐禅，两头狮子枕在他的腿上，鼾然入眠。

救狮难度母

布本设色唐卡　19世纪　133厘米×79厘米

（左页图说）

救象难度母

布本设色唐卡 19世纪

133厘米×79厘米

救象难度母

一世达赖喇嘛写道：

> 未调正念正知钩，醉欲饮水惑乱力；
>
> 趣入邪道损害齿，愚痴象怖祈救护。

此处以喝醉的大象喻指两种类型的愚昧——误解和无知。如果心未调以正念正知，沉醉于妙欲乐中，则会趋入邪道。

在这幅唐卡中，我们可以看到一位女信徒身负箩筐，筐内有蔓叶伸出，说明她刚刚从森林中采草药或是野菜归来。一头野象向她发起了攻击，由于她口念度母咒，野象马上驯服，危难也就此解除。

同样，观想圣救度母还可以揭示出真如实相，击退痴象，进而保护修持者免受无知之难。

这幅唐卡细节丰富，令人心旷神怡：从石阶一直铺到主尊座下的地毯，身后及两侧的庄严大树，怒放的鲜花，参差的假山，以及空中的变幻流云等等。

关于利用精神力量制伏怒象的轶事，一直可以追溯到释迦牟尼时代。相传，曾经有人想要利用大象谋杀佛祖。他知道佛祖会在某个特定的时刻经过一条狭窄的小径，于是就在该处潜伏等候。在时辰快到的时候，他给大象喂了一桶酒，然后用铁钩猛刺大象，直至它变得异常暴烈，方才将之解开，令其向佛祖迎面冲去。大象在迷醉和狂怒之中往前飞奔，所向披靡。佛祖眼见大象驰来，非但没有躲避，反而静立原处，深深地注视着怒象的眼睛，诵念咒语。大象瞬间轰然倒地，安祥地坠入沉沉的梦乡。

由于主尊面向左边，因此这应该是位于中央主画右边的一幅唐卡。

救火难度母

一世达赖喇嘛写道：

> 非理作意风所动，恶行烟云密布中；
> 焚烧善根稠林力，嗔恚火怖祈救护。

嗔恚与火同等。和所有扭曲的情感一样，嗔也是由对事实的错误理解所引起的。火则为风所煽动。由于嗔故，而行恶行。由于火故，烟云密布，于中炽炎。是故由嗔有断善根之力。由火有焚烧稠林之力。

在这幅唐卡的右下方，我们可以看见一座正在为火焰所吞噬的房屋。度母手持海螺，里面盛着灭火的水。屋中，夫妇两人正向度母祈祷，试图逃脱死亡。

上界的天空中，一只青鸟飞过来，嘴里衔着一枝不死树的树枝，上面结着复生果。

在这幅唐卡中，艺术家再次表现出了对园林建筑的浓厚兴趣。在右下方，有一管水流自假山石中流出，注入一个人工水池内，然后溢出水池，流向下方一个更大的水池内，一直延伸到左下角的房屋前，构成窗外的水景。

度母坐在一座简洁的静修亭中，左边立着两棵吉祥竹。静修亭上方有一个粉红色的观景台，供度母欣赏日出和日落之用。主尊面向右边，因此，这幅唐卡应该是悬挂于中央主画的左边。

救火难度母

布本设色唐卡 19世纪

133 厘米 × 79 厘米

被救贼难度母保护的旅行者，
107页唐卡细部。

救贼难度母

一世达赖喇嘛写道：

> 下劣禁行野堪怖，常断寂寞处游行；
> 毁坏一切城邑院，恶见盗怖祈救护；

这幅唐卡正下方画着一群旅行者，正在遭受盗贼的袭击。他们的马匹和大象驮着货物站立在左边。其中一名旅行者已经被杀死，挂在树桠上。另一个喉部被匕首刺伤，还有一个则惊恐地躺在地上。

幸运的是，他们中还有一个人记得向度母祈愿，度母迅速派遣了两名英雄前来解救。这两名英雄正冲下度母寓所前的台阶，赶往悲剧发生的地点。一个人手中拿着弓箭，另一个则举着宝剑。

同样，在这幅唐卡中，我们又再次体会到了艺术家对建筑细节的关注。在度母行宫前，铺着极为精致的花阶，凭阶远眺，可以看见雄伟的山海景观。行宫两侧的大树既增添了优美的自然风光，又留下了怡人的浓荫；既可在夏日提供荫蔽，又可在冬日阻挡寒风。

救贼难度母

布本设色唐卡 19世纪

133厘米×79厘米

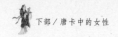

救牢狱难度母

一世达赖喇嘛写道：

> 不可爱有牢狱墙，禁锢有情不自在；
> 爱琐难开所缠绕，悭桎梏怖祈救护。

在画面左下角，有一个男人正身陷囹圄，赤裸瑟缩，头带枷锁。在门外，有一个商人模样的人，大概是狱中之人的亲戚，面带绝望的表情，正在试图用钱买得囚犯的自由。行宫上方，一个富人正在和他的家人和朋友如常享受人生。

佛教总是对人类的律法体系持讥讽的态度。菩萨修行六度中的第一度便是"布施"，为那些被政府或律法追索的人提供庇护便是三种布施形式之一。贫困者和被压迫者锒铛入狱，富人却自在饮酒作乐。这是人类社会古已有之的现象，今天和远古时代并没有什么不同。

不过，这个赤裸的身带枷锁的犯人很快就可以得到解救。我们看到，在上方，有一位妇女，大概是他的妻子，正在向度母祈愿。一直五彩凤凰从度母的神秘禅座上飞出，面带慈悲地注视着狱中的犯人，向他宣告自由即将来临。

在这幅唐卡中，主尊面向左边，说明原来是悬挂在中央主画的右边。

（右页图）

救牢狱难度母

布本设色唐卡 19世纪
133厘米×79厘米

五彩凤凰奉救牢狱难度母之命前往搭救犯人，109页唐卡细部。

救水难度母

一世达赖喇嘛写道：

> 难渡有海流漂激，接近猛利业风缘；
> 生老病死浪所荡，贪爱河怖祈救护。

在这幅洪水场景中，一共有两艘船。左边的一艘船正遭遇海妖的袭击，船上的三名乘客向度母虔诚祷告，于是毫发无损地逃脱水难。右边的一艘船则停靠在度母行宫门前，三名乘客正在向度母敬献供品。由于两艘船中的三名乘客都穿着同样的服装，且面容也极为相似。我们可以推测，这幅唐卡描述的是水难发生前后的情景。

在这幅唐卡中，艺术家再一次展示了他在描绘建筑上的鬼斧神工。在度母居所的楼上，有一个精美的房间，阳光充足，外带露台。四周绿树环绕，枝叶上妆点着闪烁的珠宝和啁啾的鸣禽，为居所带去绿荫和芬芳。

在这幅唐卡中，主尊面向右边，说明原来是悬挂在中央主画的左边。

（右页图说）

救水难度母

布本设色唐卡　19世纪

133厘米×79厘米

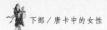

救非人难度母

一世达赖喇嘛写道：

> 普遍冥暗游行空，增上危害求决定；
> 度解脱命能为毒，疑食肉怖祈救护。

从左下角的场景中，可以看出这幅唐卡的主题。一个僧侣正为两个恶灵所扰。在右边，一个恶灵正在向僧侣行供奉。这同样也是一幕事件发生前后的场景。度母修持不仅可以免除恶灵的阻碍，而且还可以将他们领上菩提道，担当修持者的保护神。

对此，一世达赖喇嘛的阐释是：疑者，普遍冥暗。疑是五十一种心所之一，就如同想要用两头都是针尖，没有针眼的针缝纫一样。一个总是疑虑重重的人不可能织好自己的命运之衣，在所有重要的生活场景中都将麻痹无力。就好像画中的僧侣一样，他的注意力似乎在两个恶灵之间徘徊。只有通过度母修持，才能建立起与佛业的联系，消除犹疑。

在这幅唐卡中，艺术家再次向我们展示了他的建筑绘画艺术天才。度母的居所四周环绕着一道篱笆，篱笆以两道竹管搭成。流水从这些竹管中流出，注入右边的池塘之中。这样度母不仅可以随时听到悦耳的潺潺流水声，还可以享受到流水带来的清凉之气。

在这幅唐卡中，主尊面向左边，说明原来是悬挂在中央主画的右边。

（右页图说）

救非人难度母

布本设色唐卡　19世纪

133厘米×79厘米

第十二章

长寿三尊

　　藏族人喜欢将佛和菩萨三个一组摆放在一起。这起源于佛家对"三"这个数字的偏好，譬如：三身佛（法身、报身、化身），三宝（佛宝、法宝、僧宝），三根本（上师、本尊、勇父与空行母），三善根（慈悲、智慧、信愿），三密（身密、言密、意密），三世（过去、现在、未来），三时（觉、睡、梦）等等。

　　长寿三尊是比较常见的一组三尊佛：白度母、无量寿佛、尊胜佛母。其中，白度母和尊胜佛母都是女相，无量寿佛是男相，不过其在藏地的传承却始于11世纪的一

长寿三尊，117页唐卡细部。

位尼泊尔女修行者。有的时候，长寿三尊是出现在同一幅绘画中，有的时候则是单独造像，然后作为一组并列悬挂。

由于"次旺"（长寿灌顶）这一传统的缘故，普通藏族人都对前两种密宗体系非常熟悉。次旺是藏传佛教所有流派的高僧在行游时最常举行的公开灌顶仪式。任何行游僧人都可能会被其足迹所至的城镇或乡村要求举行次旺。藏地信徒也非常喜欢次旺，因为这相当于修行辅导课，在法会上，喇嘛会向他们详细解释每一个修持步骤，人们也会加入其中，参与观想和诵咒。他们喜欢次旺还有另外一个原因，在法会的各个不同阶段会传递各种经过法师加持的食物或酒水。通常在这种时候，会众都会大肆推搡，因为每个人都想站到前排，享用这些餐点。这也为整个法会带来了兴奋点。在法会期间，会众还会不断跟随法师诵咒，增加参与感。

与这三种密续佛有关的观想和祈祷仪轨尤其盛行于11世纪中叶形成的沙玛派，又称"新译派"。在这之前，他们就已经在宁玛派（又称"旧译派"）存在，不过只有无量寿佛受到了比较严肃的关注。此外，无量寿佛在旧译派的传承也不是尼泊尔的女修行者，而是来自印度的男性传承。现代宁玛派则主要依赖的是14世纪喇嘛的岩传（又称"伏藏传承"、"短传承"），以及这三个传统的所有版本。

藏族人相信各种迹象和兆头。对于他们来说，纸上的墨汁不只是纸上的墨汁。在一个特定的时间从一个特定方向传来的乌鸦叫声并不仅仅是一声乌鸦叫声。这些事情都是尚未展开的生活图卷的先兆，与周围已经发生或即将发生的所有事件都息息相关，因此也具有预兆性。云朵的形状、花朵绽放的时间和地点、园中飞鸟的来去：这一切都是生活中的征兆。

春天的第一只鸟宣告了灰暗冰冷的冬季的结束，预示着一个彩色世界的重生，每一个角落都爆发出春天的新绿，每一种颜色的鲜花都为世界增添了欢乐。当集市上出现长寿三尊的全彩复制品时，一度萧条的藏文化迎来了预示着冬天即将过去的第一线曙光。人人都争相购买长寿三尊的画像，并将它们悬挂在整饬一新的佛堂正中。

今天，无论你来到西藏的任何一个地方，都可以看到复制的长寿三尊画像，骄傲醒目地悬挂在大寺庙和平常百姓家中，静静地散发着无边的法力，庇佑着他们。

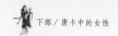

如意轮度母

嗡梭巴瓦许达，萨尔瓦达马，梭巴瓦许多杭。（观空咒）

　　观自性空，空中生起"帕"字，然后……我从中生起。我就是光华四溢的白度母，结跏趺坐，施金刚印……在我的心轮处，生起一个白色的智慧法轮，上有八条轮辐。法轮上有五圈咒语：一圈位于中心，一圈位于轮辐之上，还有三圈位于外框。我们的名字就在法轮正中心，嗡与杭之间。

　　密宗认为，意识是长寿修炼中首要的和最强大的动力。总的来说，积极的意识能带来健康、快乐与成功。在我们患病后恢复健康的过程中，意识状态尤其能够极大地影响到复原的进度和效果。与长寿三尊有关的三大密宗体系都把这一积极的修持方法作为预防疾病、增强免疫力和促进康复的途径。

　　在这幅唐卡中，我们可以同时看到长寿三尊。主尊为白度母，左上角是无量寿佛（度母的右上方），右上角是尊胜佛母（度母的左上方）。在一般的唐卡中，无量寿佛都是结跏趺坐，在这幅唐卡中却是站姿，这一点非常特别。这是始于8世纪印度莲花生大师的一支特殊的无量寿佛传承。该传承在3个世纪以后为最早的萨迦喇嘛所继承，后者设计出了一个长达七日的"无量寿经大修斋戒法"。

　　白度母修持可能是长寿三尊中最普及的个人修持方法。她的修持仪轨事实上是从《无量寿经》中发源而来，因而具有双倍的加持作用。此外，她还拥有来自度母传统的额外法力，这一传统在藏地有着悠久的历史。此外，一世达赖喇嘛本人每次患病以后都可以通过这一斋戒恢复健康的事实，也令所有人对这一修持的效果深信不疑。

　　在标准的修持仪轨中，首先需要观想自己就是白度母，然后再专注地观想位于心轮中的八辐白色法轮。后半部分的诵咒和色彩疗法的魔力就来自于这一心轮。这就是为什么白度母也被称为"如意轮度母"的原因。观想这一如意轮，再加上诵咒和成就显现，一切都能如愿以偿。

　　在白度母观想仪轨释文中，一世达赖喇嘛引用了他的本师的话："任何人，只要修习白度母仪轨，并知道如何正确诵持，就会变得无坚不摧……即使是已经确定无疑地显示出了死亡的迹象，譬如从表面上看身体已经受到了致命的伤害，修持者也仍然能够轻松地完全康复。"

　　藏地关于白度母长寿修持的方法有很多，长度也各不相同。一世、二世、五世和七世达赖喇嘛都曾经撰写过修法仪轨。其中最有趣的可能算七世达赖喇嘛的修持方法，因为他集合了所有前三世的修法要素。然而，一世达赖喇嘛的释文仍然是其中最重要的一部分，因为正是它铸就了这一传承在藏地的盛誉。

　　除了记录修法仪轨之外，一世达赖喇嘛还造了一首献给白度母的赞美诗，由于行

如意轮度母 布本设色唐卡 19世纪 66厘米×44.5厘米

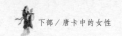

文极其优美，因此在藏地广为流传。在诗中，他写道：

> 妙龄佛母乳耸满，一面二臂金刚坐，
> 身现庄严雅静相，流溢大乐胜义光。

> 柔滑右手施与愿，息增摄伏诸事业，
> 赐八悉地为顶严，乃至究竟得菩提。

> 敬礼世间皈依所，手足七眼观六道，
> 救度有情解脱门，证得大乐菩提境。

正如第一颂所言，此幅唐卡中的白度母坦胸露腹，披纱轻掩双臂。女性的胸部象征着精神的滋养、成长和转化的力量、治疗的力量（母亲的乳汁是新生儿最安全的食物）以及纯净的医药精华。然而，在上页这幅唐卡中，主尊的左手遮挡住了左乳，金色的装饰物则有意遮住了右乳的乳头。我们可以从这一细节推测出，这幅唐卡的委造人应该来自僧院。艺术家有意识在绘画中对性别特征进行了低调处理，以免分散僧众的心神。

第二颂提到了四种佛业：息、增、摄、伏。之所以在这里再次出现，是因为白度母长寿修持和诵咒过程中，需散发出与这四种佛业相对应的色彩：白色、黄色、红色和蓝色，加上集四佛业于一体的绿色以及代表稳定的褐色。这些光线充溢全身，令身体痊愈、复活，然后又组成虹光。这一系列的仪轨都显示在白度母背光彩虹状的边缘处。

第三颂提到了白度母手掌和脚心的四只眼睛，加上她脸上的三只，一共是七只眼睛，她正是通过这些眼睛看到了六道众生的苦痛和疾难，并为它们提供救治。这六道分别是地狱道、饿鬼道、畜生道、人道、阿修罗道和天道。白度母的七只眼睛可以关照六道的众生，并救治众生的疾苦，延长他们的寿命。本颂中所提及的"解脱门"就是这参透六道的法门。

在下界正中是绿度母，两侧分别是具光佛母和蓝色的独髻佛母。这是在西藏极为盛行的另一组三尊佛像，在一世达赖喇嘛的《妙绘赞》中也有提及：

> 右方无忧具光母，息相金色日光放；
> 左方独髻胜空美，怨爱威光为端严。

此三尊佛母是圣三部主的女性版本：慈悲、智慧和信愿。在这里，度母代表的是观音菩萨，即慈悲；具光佛母代表的是文殊菩萨，即智慧；独髻佛母代表的是金刚手菩萨，即信愿。她们被安置在这幅唐卡的底部，代表她们所司的是护法的职能，因为慈悲、智慧和信愿都是实相的最佳保护神。

无量寿佛

嗡梭巴瓦许达，萨尔瓦达马，梭巴瓦许多杭。（观空咒）

观自性空，空中生起"帕"字，然后变为……从中生出红色的"赫利"字，我从中显现，身为具胜义成就的无量寿佛，永生与智慧的化身。

无量寿佛（阿弥陀佛）是男佛，代表了一个非常重要的通过观想和仪轨获得长寿加持的密宗体系。我们之所以会在这里谈到他，是因为他是长寿三尊的中心人物。另一个原因则是，在藏传佛教中，绝大多数常见的与阿弥陀佛修持有关的传承都始于11世纪的女修行者希达拉尼（Siddharani），也就是藏地所说的"大成就女王"。

希达拉尼来自今天的尼泊尔加德满都。当时的加德满都是印度文化的追随者及印度次大陆最伟大的佛教王国之一。加德满都谷地在公元前3世纪伟大的印度阿育王统治时期就已经成为了一个佛教国家。事实上，今天位于加德满都东大门的一座佛塔，据说就是在阿育王女儿当年兴建的佛塔旧址上建造起来的。

很多藏地密宗传承及其人文传统都与尼泊尔有一定的联系。在最开始的时候，藏族人一般会将绘画及建筑工程委托给尼泊尔艺术家和建筑师。在谈到公元7世纪的藏王松赞干布及其在西藏各地建筑的108座寺庙时，人们都不免会提及尼泊尔。15世纪中叶，当一世达赖喇嘛在拉萨修建札什伦布寺时，就从尼泊尔引进了很多大师。半个世纪以后，当二世达赖喇嘛在纳木错圣湖下方修建恰催寺时，也同样从尼泊尔引进了很多建筑大师。

阿弥陀佛密宗体系则是通过数百年间的数十个不同传承进入藏地的。所有藏传佛教各流派都有自己独一无二的阿弥陀佛传承。譬如，宁玛派传承自莲花生大师；萨迦派传承自祇多梨大师；格鲁派则传承自阿底峡尊者等等。

四大天王之二，123页唐卡细部

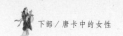

这些又全都由11世纪的圣者米勒日巴的两个门徒之一——惹琼巴尊者（Rechungpa）传入藏地。她的这一传承首先经由噶玛噶举派进入藏传佛教，在后者的推广下，迅速家喻户晓。

藏族人非常钟情于希达拉尼生活中的魔法和神秘色彩。11世纪的4位备受推崇的西藏大师都与她有关：玛尔巴译师（Marpa Lotsawa）、他的大弟子米勒日巴（Milarepa）、玛尔巴的儿子塔玛多迪（Dharma Dodey），以及米勒日巴的弟子惹琼巴尊者。这四位都是男性，然而都与女修行者希达拉尼有着很深的渊源。

据传说，玛尔巴预见到他的儿子兼传承人达玛多迪即将遇难，于是要求他在家中静修。但是，年轻气盛的达玛多迪却没有听从父亲的教诲，执意要参加本地的赛马大会。在比赛中，他不幸落马，头部遭受重创。玛尔巴从那洛巴经文中得知，要救回达玛多迪，就必须在他临死前施行灵魂转移法。于是，玛尔巴将儿子的灵魂转移到了附近的一只鸽子身上。这个鸽子飞到印度，进入了一位刚刚去世的男童身体。那个印度男孩马上复活过来，但是却性情大变，因为他的身体已经为达玛多迪所占据。他表现出了极大的潜能，后来成为了著名的"帝普巴大师"（Mahasiddha Tipupa），也就是"鸽子大师"。

数年以后，惹琼巴云游至印度，在这之前，他也曾数度来到印度寻求佛法，并翻译密续。米勒日巴告诉了他帝普巴的故事，并告诉他这位大师从一位名叫希达拉尼的女修行者那里接受了传承。他要求惹琼巴去寻找帝普巴，接受希达拉尼的传承，并将其带回西藏。

于是，惹琼巴来到了印度，与帝普巴相见，跟随帝普巴修行，并最终掌握了希达拉尼传承的精髓，把它们带回到西藏，传给米勒日巴。因此，在这个特殊的传承谱系中，弟子（惹琼巴）成为了他自己的本师——西藏最受人爱戴的诗人米勒日巴——的本师。

藏传佛教的所有宗派最后都吸纳了希达拉尼的阿弥陀佛修持传承。但是，对于这一传承保存得最为完整的却只有"惹琼巴耳语传承"。希达拉尼正是通过这些传承一直长存至今。

在过去五六百年间，藏传佛教所有教派的云游僧人都更倾向于举行希达拉尼的次旺法会，而不是本传承的无量寿佛次旺。这是因为，希达拉尼传承具有一种跨宗派的地位，如果他们举行希达拉尼次旺，人人都会前来参加。而如果他们举行本教派特有的无量寿佛次旺，那么就只有本教派的成员前来参加。一般来说，他们只会在更小型的特定集会才举行本传承特有的长寿灌顶法会。

希达拉尼法系事实上集合了这位伟大的女修行者的所有19个传承。这19个传承全部来自于她个人的观想体验。其中，最广为流传的一个传承就是"无量寿佛与马头金刚合修法"。也就是说，她将来自无量寿佛坛城"事续"传统与马头明王坛城的无上瑜伽传统中的要素综合在了一起。

关于这一修持传承，一世达赖喇嘛曾撰写过很长的释论。二世、三世、五世和七世达赖喇嘛也都撰写过略短一些的释论。在所有教派的高僧典籍中，也都能发现他们对这一传统的阐释。

无量寿佛（阿弥陀佛） 布本设色唐卡 18世纪 68厘米×48厘米

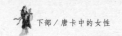

一世达赖喇嘛指出，这一体系有四种长寿修持法门：（1）次旺，即"长寿灌顶"，用于为他人加持；（2）八生起次第；（3）八圆满次第；（4）无量寿佛秋练法，即"萃取精华法"。

第一种方法通常由高僧或治疗者代替患者执行，不过在近几个世纪，已经更多地见于大型公众法会，用于集体治疗和长寿加持；第二种方法以光线和色彩疗法为基础，由八个阶段的观想组成，每一阶段分别观想一种不同类型的生命、能量和法力；第三种方法则是八个层次的轮穴修炼法；第四种"萃取精华法"则是完全放弃日常饮食，靠"精华"的滋养生存。

在第十八章，我们将讲到西藏女修行者玛姬拉尊，以及她利用鲜花萃取滋养丸露的修持方法，即"萃取花精法"。二世达赖喇嘛曾经撰写过这一法门的释论。此外，一世达赖喇嘛还写过一篇如何从星光中萃取精华的释论。

来自希达拉尼的无量寿佛传承则使用的则是"萃取矿石精华法"，与玛姬拉尊传承的鲜花丸露或一世达赖喇嘛所介绍的星光法迥然不同。在这种修炼方法中，一个人会首先在一杯水中放入一小颗石头，以及一点特殊的酊剂，然后对其施以观想和诵咒仪轨，想象它变成了一个巨大的充满芳香甘露的海洋，里面包含着所有基本的滋养物质。在用餐的时候，将这杯经过观想点化后的水饮下去，以代替普通的饮食。这就是特殊的"萃取矿石精华法"。

很多藏族人都会举行这种特别的斋戒仪式，为时7天或21天，以作为长寿和健康修持的方法。如果一个人能够修得"萃取精华法"的大成就，那么他就可以永远不需要普通的饮食，整个余生全靠水或石头的精华而生活。据说，获得这项能力的人就可以获得永生。

然而，密宗的永生并不是永远存活于世间，而是一直保持健康的活力，直至利益了所有与其有师徒关系的门徒为止。然后，他（她）便有意识地让自己的精神和身体的聚合体消失，化作一道明亮的光线——化身，直到凡间再次需要其存在及利益时才再次现身。到那时，自然会有人从法身中幻化而出，在恰当的时候适时出现。

这就是希达拉尼的无量寿佛传承的涵义，人们一般将其称为"获取永生智慧法"。

无量寿佛像

缂丝唐卡　19世纪　111.5厘米×62.5厘米

（右页图）这幅缂丝唐卡是清乾隆年间内地织造的大幅唐卡，上方有"无量寿尊佛"字样。画面中央排列有三尊佛，中间为上品下生式无量寿佛，右为说法式无量寿佛，左为施无畏式无量寿佛。三尊佛像下的二僧为佛的辅佐，其下为四大天王。

尊胜佛母

嗡梭巴瓦许达，萨尔瓦达马，梭巴瓦许多杭。（观空咒）

　　观自性空，空中生起"帕"字，化作白色的种字……自种字中生出一个宝光四溢的佛塔，由珍贵的珠宝所散发的光线组成。佛塔中有一个八瓣莲花和一轮月华，上方就是种字。随后化作一个交杵金刚，种字位于金刚杵的正中心。从中放出无限光明。我从种字中慢慢化出，我即是尊胜佛母，体白色，三面八臂……

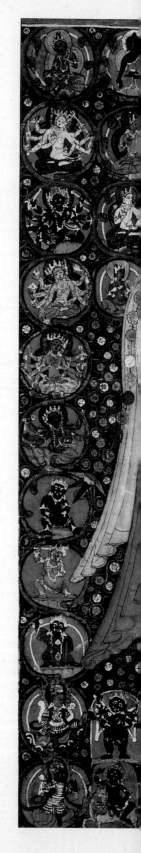

　　这幅尊胜佛母唐卡距今已有500多年的历史，乃是依据九尊坛城的传统绘制而成。这一传承始于印度大师祇多梨，由早期的萨迦喇嘛传入藏地，并传播给了藏传佛教所有教派。

　　在大多数坛城中，主尊都位于一个外圆内方的结构之中，而这幅曼荼罗却有所不同，尊胜佛母是安坐在一个佛塔之中。她的左右两侧分别是蓝色的金刚手菩萨和白色的观世音菩萨，分别代表信愿和慈悲，而尊胜佛母则代表的是智慧。"四大怒金刚"本来应该分列四方，在这幅唐卡中却全部位于佛塔的基座前方，分别代表四正觉、四神力、五根和五力。

　　除此之外，在主尊上界还有两个"天子"（梵文：devaputra）。此处，他们代表的是"创造之神"梵天（Bhrama），正在向佛母恳请获得她的传承。他们手持净瓶，瓶中盛着永生甘露，象征着尊胜佛母密续修持对所有世间诸神都有助益。

　　这九尊造像的每一个地方都有其特定的象征意义。三头象征密续体系救治上、中、下三界所有疾苦的能力。九眼可以看见九层智慧法门，意指这一体系拥有超越所有精神烦恼和局限的能力。

　　至于八臂，右边第一只手持交杵金刚，象征内外完全和谐；第二只手持白色莲花，内中安坐无量寿佛，象征从俗身向佛身的转化；第三只手持一支箭，象征直指人心的智慧；第四只手结禅定印，手持净瓶，内盛长寿甘露。

　　画师将这幅尊胜佛母九尊坛城绘制造得宛如馥郁花园中的一只金瓶。所有九尊都被安置在宝瓶样的佛塔之中，而其他各色佛教人物和密续本尊则像花朵一样，洒落在佛塔上界和左右两侧。这应该是寺庙中常用来举行各种密续修持仪轨的观想图。

尊胜佛母 布绘唐卡　15世纪　50厘米×49厘米

尊胜佛母，125页唐卡细部。

　　有趣的是，长寿三尊中的前两个密续体系——白度母和无量寿佛——在藏地都有两种修持方式。第一种是次旺，是由高僧主持公开法会，指导观想和诵咒。这种仪式通常持续数小时；另一种则是养生修持，为每日私下观想和诵咒之法。养生修持同样也可以作为一种静修方法。在这种情况下，修持者进入一种与世隔绝的状态，完全沉浸在密续修持之中。通常每天四次，每次两到三个小时，历时数周、数月、乃至数年。

　　相反，尊胜佛母的长寿法门一般很少见于长寿灌顶法会，而是一种私人委任的祛病仪式，由专业的法师主持。每一个西藏僧庙和觉姆寺都有无数受过高度的密宗仪轨训练的法师，并时常应委托人之请举行各种类型的修持仪轨。西藏的大多数僧庙和觉姆寺都是通过这些专业法师供养起来的。

　　最常见的一种尊胜佛母仪轨是"尊胜佛母千供法会"。在讲经坛正中安放一个大型佛塔，四周环绕六圈供品，每一圈共一千种。内圈由一千个大面饼或人偶组成；外面的五圈则是分属五种感觉器官的供品，譬如光线、鲜花、香味等等；最后一个"千"则是诵咒一千次尊胜佛母加长真言。供奉典礼只是整个漫长仪轨的一部分，此外还有唱诵、角鸣、击鼓等活动。整个仪轨需要一个中等规模的寺庙一整天的时间才能完成。

　　在右边这幅小图中，我们看到，尊胜佛母安坐在佛塔之中，图中没有九尊坛城的其他八尊。在右下角，我们可以看见一个男人和他的妻子坐在一驾双套马车上，向尊胜佛母合十行礼。左下角则是智慧之佛文殊菩萨，手持智慧之剑，高举过顶。

在进行大成就法个人修持时，修持者应将自己观想成尊胜佛母，与上述的其余八尊一起，安坐在胜利之塔中。尊胜佛母心脏处显出一个交杵金刚，正中现出一个种字。随后，这个种字变为我的普通形相，师尊在上，父母在前，学生在右，亲友在左，仆从在后。所有人都位于尊胜佛母胸口处的交杵金刚的正中心。随后，从咒字中发出无限的光明，放射出所有的治疗和转化能量。这些能量流入我心中，流向观想中的所有人，为每一个人加持生命力、创造力和智慧。

上述观想方法也同样可以用于委任专业法师以个人名义举行的"尊胜佛母千供法会"。事实上，很少有藏族人接受过尊胜佛母灌顶，而灌顶是个人修持的先决条件。对大多数藏族人来说，只有通过专业法师才能与尊胜佛母建立联系。

由于尊胜佛母可以同时为修持者极其师尊、家庭、亲友及依附人同时加持，因此尊胜佛母千供法会在富有的大家族尤其受欢迎。

这也是一种最常见的为高僧祈求长寿的法会。尊胜扎仓（Namgyal Dratsang）的名称就来源于尊胜佛母（Ushnisha Vijaya）。梵文的"Vijaya"翻译过来就是"Namgyalma"（尊胜）。这一传统始于三世达赖喇嘛，他的主座在哲蚌寺的甘丹宫。曾经，三世达赖喇嘛身体有恙，甘丹宫的僧众于是受命为他举行了尊胜佛母千供法会。此次法会取得了全面的成功，被藏族人称为"尊胜佛母燃灯法会"。举行此次法会的建筑也被尊为"尊胜殿"（Namgyal Enclave）。100 年以后，五世达赖喇嘛将主座从哲蚌寺迁往布达拉宫，不仅同时从甘丹宫带走了他最钟意的僧侣，也带走了"尊胜扎仓"这个名字。

从 17 世纪中叶直至西藏解放的 300 多年间，尊胜扎仓寺便一直屹立在布达拉宫。尊胜佛母千供法会也一直是其最重要的法会之一。

尼泊尔的尊胜佛母铜像

19 世纪　46 厘米高

第十三章

拥有职能的女佛

可以说，密宗的所有坛城主尊都有自己的职能。因为他们都代表或象征了获得某一特定证悟体验所需的品质。与他们有关的密续修持也正是为了掌握这些特定的品质，并由此获得证悟。

圣救度母就象征了佛业，或菩提心。所有与圣救度母有关的修持都会利用佛业作为成功的推动力，开启证悟体验的钥匙。它将根据某一特定的传承，引导出佛业，并以特定的方式加以修炼。

同理，长寿三尊则是以长寿和健康作为他们的主要职能。因此，他们也完全符合"拥有职能的佛"这一条件。而我们之所以将他们单独列为一章，是因为他们拥有特别尊崇的地位。

观想象征或代表某一特定品质的佛相，诵咒他或她的真言，令这一品质在修持者的意识流中得到增强，并在其生活中起到更加积极的作用。用荣格的术语来说，就是这些佛相是一种精神原型。观想这些原型可以令相关的精神品质越来越活跃，并占据主导地位。

光明佛母，137页唐卡细部。

大白伞盖佛母

　　在婴儿临产时，它的头必须要首先经过变形，这样才能通过母亲的产道。因此，胎儿的头盖骨都有三块。在生产过程中，这三块头盖骨会在子宫收缩的压力下移位，让头部变长，成为圆锥形，而不是球形。以此缩短头围，让头部小到足够穿过产道。一旦离开子宫，这三片头盖骨又会慢慢重新调整位置，恢复正常形状。

　　在婴儿出生后的第一个星期，这三片头盖骨交汇的地方（位于头部正中）摸上去都非常柔软。在人的整个一生中，这都将是一个特殊而又充满魔力的区域。密宗修行者在观想中也会是利用到它。

　　在成佛之后，这里也同样充满魔力。一旦修得证果，这个地方就会向上突起，形成一个"顶髻"（梵语：ushnisha）。事实上，这个髻完全由光线化成，具有无限的高度。但是，对顶髻高度的感知能力却完全取决于每个人的精神修为。修为太低的人则根本看不见顶髻的存在。在藏传佛教艺术中，佛陀的顶髻通常被绘制成为一个位于头顶正中的发髻。

大白伞盖佛母，130页唐卡细部。

　　大白伞盖佛母的名字就正是来源于这一顶髻。相传，释迦牟尼佛当年曾力邀他的学生阿难弃世出家，作为他的个人随从，与他四处云游说法，阿难同意了，但条件是佛祖只能在他在场的时候讲法，以确保自己不会错过佛祖的任何教诲。

　　在印度语中，说法是"法从口出"的意思。因此，每当佛祖想要传讲一些阿难还不太适宜的精深佛法时，他就不得不想出很多富有创意的方法，以避免"法从口出"。大白伞盖佛母修持法就是其中之一。每当佛祖传讲这一高深的佛法时，他就会从自己的顶髻说出，而不是嘴里，以避免打破他对阿难的盟誓。

大白伞盖佛母　布本设色唐卡　19世纪　56厘米×41厘米

Sita Tapatra 是"白伞盖"的意思。就如同阳伞能够为人遮挡毒热的光线和正午的太阳一样，这一密续法系也提供了抵御自然灾难的法门。佛母手持的白伞盖就是这一力量的象征。

大白伞盖佛母有很多种法相。其中最常见的一种用于个人修持的法相有点类似于白度母，一面二臂，结禅定坐。此幅唐卡中的大白伞盖佛母的形相则更为复杂，常用于大范围的祈福仪轨。

在头顶上，将来可能长出顶髻的位置，是整个仪轨的中心所在。法师首先将自己观想为大白伞盖佛母的形相，将佛陀与菩萨的所有保护能量都引导到心中，然后，将这些能量引向头顶的轮穴，穿过顶髻，形成一个伞盖状的百害不侵的能量场。能量场的大小决定了保护修持所覆盖的范围。因此，这一技巧有点类似于形成保护性能量场的精神电波。

对页这幅唐卡中的大白伞盖佛母在藏地又称"千手千眼白伞盖佛母"。尽管在画中，作为一种特别供奉，主尊被绘制成了金色，但她实际上却是白色的。白色是所有形相之源；意指与她有关的所有仪轨都具有影响世间万事万物的法力。除此之外，她还有1000条腿，其中500只位于左边，脚下踩着世间诸神，另外500只位于右边，脚下踩着恶魔。这象征着所有神、鬼以及其他超自然力量都会臣服于她的密续修持。

她拥有千面，随时观听八方。其中，200面为白色，200面为黄色，200面为红色，200面为绿色，200面为蓝色。这是五方佛的颜色，意指她承载了所有佛的品质和能量。每一面都有三只眼睛：一只主智慧，一只主慈悲，一只主信愿。

人们一般称她为千手千眼大白伞盖佛母。事实上，这些数字只是比喻性的，意指"数不清"。暗示她有上千种激励世界的方式，可以通过一百万种神通帮助和利益众生。

至于她的两只主臂，右边第一只手持伞柄和箭，前者象征她保护自然免遭灾难的能力，后者象征她通过富有穿透力的智慧法力消除所有负面力量的能力。她的左手持一个八辐法轮，象征修持她的坛城可以让人获证八种智慧。

主臂后面是另外99对手臂，右边的手持八辐法轮，象征密续修持可以带来完满证果。左边的手持弓箭，象征其修持法系的胜义智慧。

其余400只右臂，每100只为一组，分别手持金刚杵、佛珠、交杵金刚和莲花。左边的400只则手持弯弓、火焰剑、套索和铁钩，同样也是每100只为一组。金刚杵代表不可摧毁的智慧；佛珠象征成就所有愿望的修为；莲花和交杵金刚象征密宗体系运用自然现象获得证悟得能力；弯弓是观想禅定的力量；宝剑是切断烦恼源头的信愿；套索是控制扭曲情感等内心恶魔和恶灵等外在恶魔的力量；铁钩则是控制所有内在和外在痴象的禅定能力。

释迦牟尼佛端坐在主尊正上方，右手结触地印，左手结禅定印。大白伞盖佛母修持完全与自然律法和谐，并不仅仅是一个独立的信仰体系或文化传统而已。

叶衣佛母

　　三世达赖喇嘛的本师班禅索南扎巴曾写过一篇论文，列举出了藏地的所有密续法系，以及它们在整个密宗传统中的位置。和所有新译派一样，他将密宗经典分为了四部：事部、行部、瑜伽部和无上瑜伽部。截至目前为止，我们在本书中所讲到的所有佛相都主要属于这四部中的第一部：事部。但是，这些法系的修持方式很多也同时与后三部有一定的联系，这大概是由于数百年的相互影响所致。

　　他说，事部又分为三个"分部"：莲花部、金刚部、如来部。这三个分部又分别有大约六个子部，每一个子部又都有一个或多个密续法系。譬如，在事部莲花分部，阿弥陀佛是部尊，观世音菩萨为部主，白度母是本尊母，就是一切佛母和度母的部主。在金刚部，金刚不动佛是部尊，金刚手菩萨是部主。在如来部，文殊菩萨是部尊，光明佛母是本尊母。此外，如来部还有五个子部，共七种类型的密续传统。无垢佛顶位于第四部，顶髻尊胜佛母和大白伞盖佛母以及其他佛母也都位于这一部。

　　叶衣佛母位于密宗事部如来分部的第六子部，被称为"信使部"。从修持的普及性来看，她是最重要的信使佛母之一。

　　她的主要职能是解除疾病，尤其是传染性疾病，譬如瘟疫等。叶衣佛母坛城观想和诵咒据说可以强化免疫系统，让修持者免受疾病的侵扰。

　　叶衣佛母的梵名是Parnashavari。在这幅唐卡中，她颈部戴着由新鲜绿叶编成的花环，腰系新鲜树叶织成的围裙。这些树叶都是天然的草药，象征着叶衣佛母修持所能带来的治疗和再生法力。

　　在她的颈部，还缠绕着一条毒蛇。蛇毒在印度和西藏地区的医药传统中是很多药方的重要元素，可以起到以毒攻毒的作用。

　　此外，蛇还象征着龙族（nagas），这是一种自然生灵，如果被人类轻率地触怒，便会带来疾病。譬如，疗就是由于随意砍伐树木，未经居住其中的龙族许可和原宥引起的。龙族同时也会传播疾病，譬如瘟疫等，以惩罚那些污染空气、水或土地的人，因为在这些元素中也同样生存着几种类型的龙族。按照叶衣佛母的密续法系加以修持就可以与这些自然生物和平相处。画中的叶衣佛母头发在顶部挽成一个髻，以一条蛇作为发簪，进一步强化了上述法力。

　　叶衣佛母体色米白，象征着前两大佛业——息、增。也就是说，她通过平息恶因和增持善业为修持者提供治疗和保护。她共有三面，主面半喜半怒，意指与自然的和谐可以带来安宁与快乐；而不和谐则可能带来麻烦。左边的红面代表欲望，右边的白面代表平和。在密宗修持引导下的自然的性欲望是最有效的治疗和复生力量之一；而

（左页图说）

大白伞盖佛母

布本设色唐卡　19世纪　97.5厘米×52厘米

叶衣佛母 布本设色唐卡 18世纪 26厘米×13.5厘米

代表和平之色的白色则可以平息引起疾病的负面因素。

画中主尊共有六臂。右边第一只手持金色金刚杵，象征不可摧毁的智慧；左边第一只手持金刚套索，象征对内外元素的控制。第二组手臂则持有一个金刚斧和一把绿叶做成的扇子，分别象征将疾病连根拔除的法力和草药的清凉作用。第三组则手持一对弓箭，和上一幅唐卡中所见到的一样，代表堪破胜义实相的智慧，以及观想修持所拥有的向这一目标射出智慧之箭的法力。密宗将空性视为最有效的治疗药方。

在左下角，坐着一个红色的叶衣佛母，右下角坐着一个黑色的叶衣佛母。她们的形相与主尊一模一样，手中所持法器也一样。在这幅唐卡中，主尊象征治疗所需的前两种佛业：息和增。红色叶衣佛母代表摄，黑色叶衣佛母则代表伏。

上界正中坐着一个喇嘛。这极有可能是这幅唐卡的委造者所属教派的根本或重要传承上师。从他的僧帽的外型和色彩可以推断，他应该是属于格鲁教派。最后，在主尊正下方还有一个大黑天护法，他是慈悲的忿怒化身，完全包裹在般若怒火之中。

藏传佛教的所有教派都修持叶衣佛母密续，其中以直贡噶举派尤为推崇这一传承。事实上，叶衣佛母修持是蛇年十天讲经节的重要活动之一，这个节日在直贡举行，传统上为每十二年一次。藏传佛教所有教派的信徒都会从四面八方赶来参加盛会，听取直贡寺主持所举行的为期十天的讲经大会和修持法会。和所有类似的藏地宗教节日一样，讲经大会将一直从上午持续到傍晚，留出清晨的时间，以便让会众参观当地的圣地——直贡有很多这样的圣地，晚上的时间则是为了让会众与家人和朋友聚会娱乐。

叶衣佛母，134页唐卡细部。

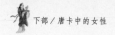
光明佛母

升起来，升起来，万丈荣光，升起来

神圣的天母，升起来

喜洋洋的太阳，升起来

具足日光的神明，升起来

唵 光明佛母 满 梭哈

在光明佛母的唐卡中，背景一般都是初升的太阳，这是因为她总是在破晓时分施法。她是一个真正的佛母，地位等同于任何其他佛陀。光明佛母是事续部如来分部的本尊母。观想光明度母的最佳时间就是清晨日出时分。

修行者需早起沐浴。为观想仪轨举行的沐浴净身仪式是所有事续法系中的一个重要仪轨。然后，修持者面向东方太阳升起的地方，进行常规的能依和所依坛城观想，以及观中灌顶等等。

当太阳越升越高，修持者便开始以歌咏的形式诵咒真言（藏语）："Sharro sharro. Pal sharro.Lha sha ro.Kyi kyi nyima sharro.Lhamo Odzer Chenma sharro."翻译成为汉语就是："升起来，升起来，万丈荣光，升起来。神圣的天母，升起来。喜洋洋的太阳，升起来。具足日光的神明，升起来。"然后再用梵语诵持咒语：Om marichi ye mam svaha（唵 光明佛母 满 梭哈）。熟悉咒语的人都知道，ye 不发音，只是作为重音节间的停顿。

光明佛母的主要职能是保护修行者免于遭受自然界的厄运，尤其是免于遭遇其他生物造成的劫难，如野生动物、窃贼和恶灵。观想光明佛母坛城，并诵咒她的真言和经文，是获得以上加持的最主要方法。

光明佛母隶属如来部，相当于主智慧的文殊菩萨的女相，因此其根本佛性是智慧。太阳在密宗佛教中总是代表智慧，月亮则代表大慈悲。光明佛母观想在日出时分举行，这时头脑最为活跃，最容易获得智慧上的精进。智慧在这里有两重含意：一是证世俗谛之自相有；二是证胜义谛之空性见。太阳是这两种智慧的最好老师。

真言中将光明佛母称为"具足日光的神明"。正如同旭日东升宣告了漫长黑夜的结束一样，观想光明佛母坛城也可以宣告漫长的无知和恐惧期的结束。

右页这幅光明佛母唐卡光彩夺目，具有浓厚的神秘色彩。主尊位置是太阳，光明佛母位于下界。她驾着七头野猪拉动的战车。这里包含了古代印度宇宙学的传说——也是印度古典诗歌最钟爱的主题之一：那就是太阳是在七种宇宙能量的牵引下驰过空中的。在其他造像中，光明佛母的坐骑也经常被绘制成一头硕大的野猪，旁边跑着六头小野猪，环绕着她玩耍嬉戏，野猪是密宗的圣物。在《金刚空行母》一节我们将论及这一点。

光明佛母 布本设色唐卡 19世纪 86厘米×48厘米

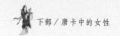

在这里，七头野猪也同样象征着代表一周七天的七个主要天体：太阳、月亮、火星、水星、木星、金星、土星。印度人和藏族人都对这七大天体耳熟能详，或许它们是经过数千年前的丝绸之路辗转到了西方，最后成为了国际标准。在这幅唐卡中，所有七头野猪都是平等的，不过，在一头大野猪和六头小野猪的唐卡中，大野猪所代表的就是太阳和星期天，其余六头小野猪所代表的则是其余天体和日期。

近观太阳的图案，可以看见，一只三腿三尾的雄鸡正在其中跳舞。这大概是表示这幅唐卡是来源于藏东康区大雅(Dayab)一带，因为大雅的艺术家总是喜欢在作品的某一各地方画上一只雄鸡。

不过，这只雄鸡也可能是来源于印度的古德拉威（Dravidian）神话。这一神话起源于非洲，是指在鸿蒙未开之前，一只雄鸡以舞蹈和利爪创造出了宇宙。第三个说法则是，这只雄鸡的含意是完全世俗的，因为雄鸡总是在日出时鸣叫，因此将其与太阳联系在一起。三腿三尾则是一个谜题。

我们还无法识别太阳正上方的女性主尊的身份。事实上，她实际的位置更靠后，也更靠下一点。不过，如果这么画就会让她被遮挡在太阳背后。她手持一面镜子，颜色行同太阳，位于西方。如果说光明佛母与东方和日出有关，那么我们可以推测，她代表的就是西方和日落。有几位西藏学者尝试性地假设这或许是古西藏的"十二天玛女神"，藏语称"丹玛久妮"。她们每人手持一面宝镜。在需要的时候，人们可以通过镜子利用神谕将她们从最古老的年代召唤出来。在古西藏文化中，镜子是一个重要的神谕道具。任何想要召唤神灵的人都需要在胸前挂一面镜子，就好像在项链上悬挂着的护身符似的，在心脏前方挂上一面镜子。这些神灵可以被召唤进镜子，也可以从中被召唤出来。我们在第十七章《女性护法》中收录了一张非常著名的"十二天玛女神"唐卡见232页。

三腿三尾雄鸡，137页唐卡细部。

作明佛母

嗡梭巴瓦许达，萨尔瓦达马，梭巴瓦许多杭。（观空咒）

观自性空，空中生起八个寒林，中间升起藏文"PAM"字，一朵红色莲花，正中升起"RAM"字。变为日轮，中间升起红色"HRIM"字，散发出无限明光。光线慢慢消融，退回"HRIM"字。一切转换完成，我从中升起，我就是宝光四溢的作明佛母，通体鲜红，一念及此，所有三界众生便全都臣服于我的法力。作明佛母坛城是一种常见于藏传佛教所有教派的修持密法。因此，作明佛母也是西藏神秘艺术中的一个常见题材。

下页这幅作明佛母唐卡为"金画"（sertang）风格，这种技法也称"金线法"（sertig）。也就是用金粉在朱砂涂成红色的画布上勾勒出人物的轮廓。这种风格最早见于13世纪，萨迦派上师秋吉八思巴成为忽必烈的传承上师后不久。西藏艺术家在忽必烈的宫廷内尝试了很多种不同的技法，并因此掀起了西藏艺术在某种程度上的复兴。忽必烈是一个伟大的艺术赞助人，在统治期间，曾经将来自其广袤帝国的很多不同文明的艺术家和手工匠人延请到他的宫廷。

藏族人热衷于这种"朱砂起金线"的效果，各唐卡流派一直沿用这一技法，长达数百年。我们在随后的几幅作品中还可以看到，他们又在此基础上发展出了一种"黑画"（nagtang）技法，也就是在黑色画布上描金线。

"金画"通常只见于西藏高级活佛所委造的画像。在绘制过程中所需的大量黄金令普通西藏僧尼和平民望而却步。而高级喇嘛则有大量的黄金，因为黄金是朝拜者和学生最常供奉的财物。黄金在古西藏并没有被广泛用作流通货币，事实上，藏族人直到20世纪初期才开始使用。在这之前是物物交易，"你给我一块牦牛皮和黄油，我给你一袋青藏高原的盐巴。"或者流通蒙古人的"银马蹄币"。藏族人保存黄金的主要目的就是为了将其用在庙宇的装饰上。平民也会使用黄金作为珠宝首饰的基座，在上面镶嵌他们最钟爱的珊瑚和绿松石。

在西藏，一尊佛像动辄就使用上百乃至一两千两的黄金并不是什么罕见的事。一世达赖喇嘛在15世纪50年代在札什伦布寺所造的弥勒塑像就是一例。50年之后，二世达赖喇嘛在恰催寺所造的弥勒金像则是另外一个例子。

正如我们在上一幅唐卡中所看到的，黄金经常被用来为菩萨和佛的造像着色，即使该菩萨或佛的体色并不是金色。在这种情况下，金色就被看作是一种供奉。不过，黄金的使用在"金画"中才真正达到了登峰造极的地步。

从右上角的传承喇嘛可以看出，这幅唐卡应该是来自萨迦派。作明佛母在萨迦传承中的地位尤其重要，是萨迦派"红色三尊"的一员，同时还位列萨迦"十三金法"之中。十三金法是萨迦派独有的也是核心的一组密法传承。

作明佛母（又称"咕噜咕咧母"） 布本设色唐卡　18世纪　53厘米×28厘米

画中主尊呈舞姿。在西藏，作明佛母又被称为"旺吉拉姆"，即"威力佛母"的意思。这是因为她的主要职责是驯服灵界，保护众生不受恶灵的侵害。萨迦传统中保存了很多来自四大密宗教派的作明佛母修持传承，根据其精深程度分为了五个等级。本幅唐卡中的形相属于比较高阶的四级和五级，分别与欢喜金刚和金刚班札拉密续法系有关。她的身体为红色，象征佛业的力量可以击退所有邪恶势力。她的发丝向上飞舞，象征她拥有令修行者飞升证悟之境的法力。她面带怒容，因为她代表信愿的力量。第一组手臂手持弓箭，第二组手持铁钩和套索。从内心修为的角度来看，弓象征禅定，箭象征穿透本真的智慧；从神秘主义角度看，它们则象征着击退超自然界各种元素的能力。同样，从内心修为角度来看，套索和铁钩象征羁勒散漫的思维，激发昏聩心灵中隐藏的痴象的能力；从神秘主义角度来看，它们又象征着捕获和控制鬼魂和恶灵等超自然元素的能力。所有这些法器都由红色莲花制成，象征利用自然的力量征服负面势力。她身系虎皮裙，象征修持者的无畏。站在一个由尸体、日轮和莲花组成的宝座上，在般若烈焰中舞蹈，象征着无常见、无我见、空性见的智慧。

唐卡左上角坐着的是印度大法师毗卢婆，他是很多萨迦传承的根本上师。右上角坐着一位萨迦喇嘛，身份不详，双手结献坛城印。正上方坐的是阿弥陀佛（无量光佛）。左下方坐着一个绿度母，意指作明佛母事实上是圣救度母的忿怒化身。右下角坐着一个萨迦喇嘛，右手前伸，持永生甘露瓶，左手执一曲莲花，花中生出一柄宝剑和一本智慧经。宝剑和智慧经说明他被看作是文殊菩萨的化身。因此，他可能是萨迦班智达，是一位最著名的萨迦喇嘛，被视为文殊菩萨的化身。下界正中是萨迦派的一位重要护法忿怒吉祥天母。

作明佛母，
140页唐卡细部。

狮面空行佛母

> 敬出生三世一切诸佛母，违誓魔敌碎为微尘母；
>
> 狮面威容智慧空行母，护法大圣愿同眷属临。

狮面空行佛母法会和修持仪轨可见于藏传佛教所有教派，其中尤其以在宁玛派最为盛行。这是因为，人们认为狮面空行佛母系乌地亚那空行母的忿怒本尊。而乌地亚那空行母则是宁玛派历史上最重要的上师莲花生大师的根本上师，他曾在乌地亚那学法。

不过，格鲁派所奉行的却是狮面空行佛母的另一个传承，其原因有二。第一，据说噶当派（也就是后来的格鲁派）的创始人，11世纪时期的阿底峡大师在青年时代也曾经在乌地亚那师从过乌地亚那空行母，并将这一传承带至西藏。第二个原因，一世达赖喇嘛在前生的化身也曾经前往乌地亚那，接受过乌地亚那空行母的教诲，更加为这一传承增加了几许传奇和神秘色彩。

在这幅唐卡上界正中，是普贤王如来佛父佛母双身相。由此可见，这幅唐卡应该是属于宁玛派。佛父佛母一蓝一白，均为裸身，象征真如实相的赤裸而无掩蔽。如果这幅唐卡属于任何新译派，那么位于顶部正中位置的就应该是金刚总持，而不是普贤王如来。

主尊为狮面空行佛母。狮面象征证悟的无畏，以及将暴烈情感转化为具有建设性的行为的能力。她的身体呈栗色，这是红色和蓝色的综合色，代表信愿与忿怒的佛业。狮面空行佛母的职责是无畏地抗击邪恶势力，并在有需要的情况下，避免它们造成瞬间和彻底的毁灭。狮面空行母修持尤其能够赋予修行者将他人发送给自己的负面能量反弹回去的能力。

她长着三只滚圆眼睛，一张阔大豁嘴，头发金黄，竖直向上。和很多密宗绘画一样，这里的三只眼睛意指透视所有能量世界的能力；阔大的豁嘴意指她吞噬恶灵作为资粮，但却对自身没有任何负面影响；向上飘飞的头发意指通过她的修持可以获得圆满证悟。她居住在般若烈焰之中，说明她的智慧可以消解所有不良业报。无数的勇父和空行母在四周的烈焰中舞蹈。其中，空行母可以从她们硕大的胸部辨认出来。这些勇父和空行母有的呈白色的、有的呈黄色、有的呈红色、有的呈蓝色、还有的呈绿色，象征四种佛业（其中绿色是四种佛业的综合体）。在修持狮面空性佛母时，修行者可以根据自己所想要成就的佛业，任意选择其中一种作为自己的主尊。

和西藏密宗绘画中的很多空行母一样，这尊狮面空行佛母同样是右手持钺刀、左手持盈血颅器（嘎巴拉碗）。钺刀象征穿透无知的智慧；嘎巴拉碗则象征胜义的大乐。肘间持骷髅杖，表示她是一个真正的佛，拥有三身智慧。

在主尊上界和左右两侧，坐着来自各个传承的大师。下界是宁玛派的重要护法。

狮面空行佛母 布本设色唐卡 19世纪 53厘米×29厘米

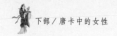
善慧天母

苯教喇嘛在称呼他们的坛城主尊时，一般不使用梵语，而是使用这些语言在藏语中的对应词语。很多苯教词语都与佛教用语非常类似。譬如，Sherab Chamma 就类似于梵语中的善慧。

在西方，苯教通常被称为"佛教传入以前西藏的本土宗教传统"。事实上，苯教既不是本土的，也不仅仅存在于佛教传入以前，而是松赞干布时代（公元7世纪）以前的藏地宗教。按照苯教自己的说法，他们的创始人敦巴辛饶是来自于西方的波斯地区。他传入藏地的极有可能是一种早期的密教形式。在这之后，由于松赞干布的缘故，苯教逐渐式微。

在右页唐卡中，善慧天母被绘制得年轻端美，体色洁白。右手持金色"卍"字，象征世俗有与胜义的永恒和谐。"卍"字是泛亚地区特有的一种标志，已经有数千年的历史。事实上，北美洲土著人在大约一万年前的长途迁徙中也带上了这一标志，我们在美国新墨西哥州的古霍皮族（Hopi）洞穴和岩画中就发现了它的踪影。

她左手持盛满善慧甘露的净瓶，象征修持其坛城仪轨的人都能拥有这一品质。指间执一曲白莲花，花朵在左肩盛开。这可能是暗示她在后松赞干布的佛教传统中等同于度母或观世音菩萨。此外，在中国内地，净瓶也是观音菩萨的一个重要特征。

她右腿舒展，左腿盘曲，与圣救度母坐相类似。舒展的右腿象征她积极入世，利益众生；盘曲的左腿象征无论她外在多么积极入世，却从来没有放弃过内在的禅定。她坐在莲花和月轮组成的宝座上，类似观世音菩萨的莲花座。座下为八头羚羊，这也同样令人联想到正统佛教中的观世音菩萨。

四方分坐着她的四个随从，每一个都有着四只手臂，分别代表悲悯、爱、欢乐和平静。每一个人都持有一件特别的法器，意指他们每人都拥有表达这四种崇高态度的独特方法。他们的体色分别为红、绿、白、蓝，代表四大佛业。

在正下方的褐色背景上，我们可以看见一个巨大的红碗，内盛珍贵的宝珠、红色的珊瑚、白色的象牙和镶嵌璀璨宝石的黄金饰品。这些是艺术家呈给善慧天母的供奉。

供篮，145页唐卡细部。

善慧天母是"智慧天母"（Satrig Ersang）的另一个名字是，用于其单独出现，而不是作为"四大胜义主尊"的一员出现的时候。"智慧天母"的忿怒相是一种被称为思巴嘉摩的护法，这是苯教传统中的主要护法。在大多数后来的佛教教派中，思巴嘉摩护法都被看作是吉祥天母的二十一形相之一。在第十七章《女性护法》中我们将对此有专门论述。

善慧天母 　布本设色唐卡　19世纪　　48厘米×27厘米

第十四章

父母尊中的母尊

　　藏语"yab"在口语中是对"父亲"的尊称，"yum"则是对"母亲"的尊称，一般用于比较庄重的对话中，譬如与活佛或贵族谈及自己的父母时。在"诸佛之母"等表达中，也同样用到了"yum"。可以这么说，"yum"首先只是一个社会约定俗成的简单称呼，其次，在显乘和密乘的事部和行部中，"yum"也用作一种比喻。

　　不过，在密乘第三和第四部，也就是瑜伽部和无上瑜伽部，"yab"和"yum"，也就是"父"和"母"这两个词就有了不同的含义。在这里，它们指的就是"父母尊"（或称"双身尊"，"双尊"），即密宗乐空双运中的配偶。西藏艺术作品中充满了这一类和合场景。每一座藏地寺庙中都有大量的类似画像。密续经典和观想导修中将这些坛城主尊称为"父母尊"（Yab Yum）。

　　当"yab"和"yum"这两个词被用于密宗艺术、经文和修持等领域时，一般会加上一个前缀"sang"（"密"的意思）。譬如，男性密法修持者的女性伴侣又被称为"密妃"。"密"在这里并不是指这种性关系是隐密的，而是指这是一种"个人密法"。这种密法并不是指和合关系，而是指理解这一关系的方式。普通人的交合体验和方式与密宗修持者的双修迥然不同。对于一个完全没有修行的人来说，男女和合就只是一种爱欲的欢愉，而对于密法修持者来说，它却是完成核心修为的最佳基础，也是密法修持的最佳时机。

　　密宗乐空双运的传统来源于古印度，这里也是整个西藏密续传承的发源地。这种男女双修法主要见于印度贵族。他们是一夫多妻制，因此经常要花费大量的时间与不同的伴侣行房事。而他们大多生活繁忙，房事时间便成为了每天最清净的一段时间，再加上古代印度人强烈的宗教情结，因此自然就想到要让这些时间发挥出最高的精神价值。

　　早期密宗修持者并没有将密宗双修法视作狂野、兴奋或放纵之事，而仅仅只是一种最好地利用每天中这一特殊时间的方法。他们也并不认为将这种修持方法引入性事会影响浪漫氛围。他们的逻辑很简单：他们每天会经历数次性事，因此非常乐于学习提升及转化这一体验的技巧。

　　11世纪的印度大成就者那洛巴在他的著作《密宗灌顶论》中，对密宗双修法的基本原理做出了最好的解释。他说："双运是密法修持的最佳时机，这是因为在这一

普贤王如来佛父与佛母，150页唐卡细部。

过程中会升起三种意识。第一种是大乐，极度的欢愉；第二种是光明，或极度的明性；第三种是空性，产生无合、无分、无所不在的感觉。密法修持者正是利用这三点达成快速解脱和证悟的。"

　　几乎所有无上瑜伽密法，父母本尊坛城观想及双修法最初都只传授给世俗之人。不过，很多通过这些方法证得圆满智慧的人却对佛门产生了浓厚的兴趣。因此，密宗双修法慢慢就演变成了一种隐喻式的说法，真正进行双修的人也越来越少。父母本尊中"父"用来指代男性的力量，"母"则用来指代女性的力量。在印度的正统佛经中，"父"是指"方便"（upaya），"母"则是指"智慧"（prajna）。这里的"方便"是指通过打开轮穴，调和身心的原始能量时所体验到的大乐；"智慧"则是指从大乐中升起的明澄意识。

欢喜金刚与无我佛母，165页唐卡细部。

有两个术语可以用来区别这两种真实和虚构意义上的密宗双修法：一个是事业手印（karmamudra），或"实女"，指的是密法修持时真正的和合伴侣；另一个是智慧手印（jnanamudra），或"灵女"，指的是将禅修本身视为和合对象。

在佛教传入藏地之初，藏族人似乎对事业手印和密宗双修法表现出了浓厚的兴趣。然而，自11世纪以降，对禁欲的热情席卷了整个中亚。事业手印逐渐为智慧手印所取代。因此，今天的藏传佛教各教派的大多数僧人都只修炼智慧手印。他们或许听说过事业手印，但却从来没有修习过。那些俗家僧人也同样如此，尽管他们在婚姻生活中也会享受性生活，但是却仅仅出于情感目的，或是履行生儿育女、延续自己的家族血脉这一生理功能。

如何以智慧手印行双修法呢？在密乘修行的第一层次，也就是生起次第，男性的一面体现为观想主尊坛城以及诵咒真言等行为所体验到的大乐；女性的一面则体现为从大乐中升起的明性。通过一定的修持技巧，可以确保这两者合而为一。也就是说，男性的因素就是在观想过程中想象坛城显现所带来的快乐，女性因素就是从观想主体和对象在本质上同一这一认识中所产生的明澈心境。有的时候，由观想所产生的大乐就被称为"父"，所体验到的明性就被称为"母"。

在密乘修行的第二层次，也就是圆满次第，智慧手印修持者则主要是进行吐纳练习，以引导微妙的身体能量，打开身体各大轮穴，并进而转化为出离观想，获得原初的明性。在这里，通过将力量汇聚于心轮所获得的大乐体验就是"父"；在第四级也就是最高级大乐之后所体验到的明性就是"母"。

密宗双运与世俗的男女欢爱有很多明显的不同。其中一点就是，男性并不会射精，而世俗男性最主要的高潮体验则全部来源于此。在双运中，修持者的体验更类似于女性，能量和体液都自然地内化，并进而产生多种高潮体验。为达到这一效果，他会在精气下运时，有意识放缓节奏，或是稍作停留。在这时就会自然而然产生三种高潮体验：大乐、光明、无二性——不过并不像普通人那样转瞬即逝，而是通过观想和能量控制长时间维持这一状态。他会以这种方式将精液尽可能地保守住，以维持这三种高潮体验，并从中寻求心灵的原初迹象。一旦这一迹象升起，他就紧紧地抓住，从中直接透视空性。最后，他再次通过观想和能量控制将精液收回，如此循环往复。正如以上所述，女性的修持要容易许多，因为她的高潮模式天然更加持久，也更有助于密法观想。

今天的大多数密僧都禁欲，因此父母尊只是对证悟过程的一种比喻，而不是指通过密宗和合双运获得证悟。他们练习的是智慧手印，而不是事业手印。对于那些娶了妻的僧人也同样如此，他们的婚姻主要是一种延续家族血脉的方法。此外，几乎所有俗家僧人的老师和学生都是禁欲主义者，因此他们的行为自然也遵从禁欲主义的法则。

总的来说，我们将西藏神秘艺术中的双身相看作是一种集合了密宗乐空双运的瑜伽修行传统，也就是无上瑜伽密续被引入禁欲主义之前的状态。此外，我们同时也将这些人物看作是证悟体验的艺术性比喻，就如同密续中的禁欲主义诠释一样。不过，无论是哪种情形，都并不妨碍我们欣赏这种超越常规俗例的精美的艺术形式。

需要指出的是，从性别的角度来说，作为一种精神比喻，双身坛城主尊是不可分割也无法分割的。也就是说，当一个人观想坛城，并将世俗的"我"化入主尊时，应该是同时化为两者，既不能只化作拥抱明妃的明王，也不能只化作拥抱明王的明妃。父尊为观想者的男性一面，母尊为观想者的女性一面。观想对象应该是阴阳和谐统一的"综合体"。在外、内、秘和极密层次都应如此。双修的目的是在这四个层次获得大乐、光明与和谐。

普贤如来佛父与佛母　布本设色唐卡　16世纪　86厘米×71厘米

普贤如来佛父与佛母

敬普贤如来父母尊，本真意识智慧海。

不变明光本初相，一切坛城由此生。

在中亚地区的所有宁玛派寺庙和静修所都可以看见普贤如来佛父和佛母的双身相。他们有的时候是作为主尊单独出现在壁画或唐卡中，有的时候则位于一群造像的顶部正中位置，以显示他们至高无上的重要性。譬如，我们在上一章的狮面空行佛母唐卡中就曾经看到过他们，位于上界正中。在这幅唐卡中，他们则位于中央主尊的位置。

普贤如来佛父和佛母被视为宁玛派的本初佛，是几乎所有宁玛密续的来源。画中主尊身赤裸，行和合双运。赤裸象征他们的法身无相无形，因此也不受任何约束和遮蔽。法身是所有智慧形相和菩提行显示的媒介。画中其余画像全都可以被视为他们的化身。佛父体色深蓝，代表空间的广袤；佛母体色洁白，代表所有形相的源泉。这与一般的阴和阳分别象征空与形恰好相反，这说明，在证悟过程中，一个人的男性一面和女性一面都可以获得圆满，与俗义上的对立面达成和谐。双运则象征他们都完满地大乐、光明和空性。

主尊两侧站着六尊六道接引佛：天道、阿修罗道、人道、畜牲道、饿鬼道和地狱道。佛化身于六道，帮助转生轮回的众生获得利益、解脱和证悟。未得证悟之人在死亡后会根据其六痴分别堕入不同的轮回道，这六痴分别是：骄傲、嫉妒、自私、无知、爱恋和憎恶。每一种都可以经由相应的智慧得到转化，每一尊佛的每一种颜色就代表相应的智慧。这六尊佛都是普贤如来佛父和佛母的化身。

上界正中坐着的是宁玛派创始人之一莲花生大师。下面是一位修行者，长长的黑发盘在头顶，这大概是公元8世纪时宁玛派的一位重要大师那恩登增桑布，正是他确保了莲花生大师传承的成功和发扬。据说，那恩曾经不吃不喝坐关长达七年。

在这幅唐卡中，还有很多以空行母形相出现的女佛。譬如，莲花生大师右边是狮面空行母，左上角是五个主要空行母。在下一章《金刚空行母》中，我们将有一幅宁玛派唐卡论及这五位空行母。

中央主尊右边坐着的是11世纪的修行者米勒日巴。尽管他是噶举派的根本上师，但是，在他圆寂后的100年间，出现了很多关于他的神秘传说，并逐渐为所有藏传佛教的派别所接纳。他身穿白色瑜伽袍，肩挂红色禅修带，因为他曾在山洞中闭关修行18年。他的右手罩在耳边，结歌印；他是藏地最著名的赞歌创作者。但是，他却从来没有将这些赞歌笔录下来，其歌集都由后世的学生和传承人整理而成，因此有好几个版本。其中最著名的一个就是《米勒日巴十万歌集》（藏名：Mila Gur Boom）。

唐卡中的其他人物全都是宁玛教派的重要观想本尊或护法。

密集金刚与触摸金刚母　布本设色唐卡　16世纪　77厘米×58厘米

密集金刚与触摸金刚母

总的来说，无上瑜伽密续又可细分成父续、母续、无二密续。其中，父续又分为贪嗔痴三道用，即分别通过这三者获得证悟。

密集金刚续是无上瑜伽部父续传承的主要密续，通常又被称为"父续之王"，藏传佛教所有主要沙玛派（或新译派）都以禁欲形式学习和修持这一密续。格鲁派的两大密宗学院丘美（Gyumey）和佳投（Gyuto）也将密集金刚续作为主要的课程之一。

对于"密集"一词的来历，有很多种不同的解释。其中一个说法就是，这种密法最早是佛祖在奥利沙国王因陀罗浦谛（Indrabhuit）的要求下传授的。因陀罗浦谛要求佛祖教授他一种特殊的修行技巧，身为国王，他成日忙于政务，只有在与妻子们房事期间才有修行的时间。佛祖听完哈哈大笑，以金刚总持的形相现身，将密集金刚密续传授给了他。由于阿难还尚未成熟，不能听取佛祖说法，于是佛祖便与其他侍从、因陀罗浦谛国王及其他受法者一起变化了形相，聚集在密集金刚坛城女相主尊的性器官之中。据说，"（秘）密集（会）"这一词就得名于此。

在印度，密集金刚续有两大注释传承：龙树和提婆。本幅唐卡中的佛像即为龙树传承。藏地有三大龙树传承。一个是由阿底峡尊者传入，在此基础上形成了噶当派。第二个是由嘎大译师传入，后发展成为萨迦派和夏鲁派。第三个传承由玛尔巴译师引入，传给了噶举派上师。宗喀巴喇嘛将这些不同的传承汇聚在了一起。宗喀巴喇嘛是格鲁派的创始人。

这幅密集金刚坛城中的父母尊中分别是密集不动金刚和触摸金刚母。"不动"意指这一密法修持方法能够激发不可替代的证悟体验。"触摸金刚"意指她的激情拥抱可以激发钻石（金刚）一般夺目的智慧。她还代表着使用所有可触摸的物体作为对象的密法修持，而性器官的触摸则是所有触感中最美妙绝伦的，因此，她的名字也具有这方面的特殊含意。

男女尊均为六臂，手持法轮，象征圆满智慧；一曲莲花，象征从爱欲向证悟的转化；金刚杵，象征五种正净觉；宝剑，象征斩断二心的智慧；三宝，象征修持能带来最终的安全和解脱；法铃，象征空性智慧。

四方分别绘着另外四组父母尊。在坛城中，它们应该位于四个主要方位，造型与主尊类似，只是体色和手中所持法器略有不同。在本幅唐卡中，所有父母尊体色都为金色，以作为一种供奉；事实上，他们却分别有自己的不同颜色，以代表五大不同的派系。他们手中所持的法器也各不相同，分别代表他们所属的不同法系。中央女尊代表的是触摸金刚，其余四个女尊则分别代表味道、香气、声音和景致。

也就是说，这些女尊所代表的是利用五官所感知的对象作为证悟资粮的智慧。也就是说，正如同爱人的拥抱是最好的触摸一样，爱人的吻、呼吸、激情的吟哦以及眼神中的急切就是最好的味道、最好的香气、最好的声音和最好的景致。

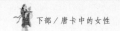

　　古时候的大多数密法修持者都是非禁欲主义的，修持本身也与实际的男女和合有关。然而，到公元9世纪到10世纪左右，这一传承就被吸纳进了禁欲的僧侣传统之中，并逐渐演变为一种纯粹的象征仪式。

　　在过去五六百年，这一传统已几乎完全成为一种仪式。所有接受这一法门的僧尼通常都只需要每天唱诵一次标准的修持经文即可。这些经文长短不一，一般在100页以上，需要大约一个多小时才能唱诵完毕。

密集金刚与触摸金刚母

布本设色唐卡　19世纪　57厘米×41厘米

　　（右页图说）密集金刚，意思为"秘密的结合"，或者"秘密的集会"。三面六臂二足，呈寂忿相。三面中主面蓝肤，右面白肤，左面红肤，每面三眼。主身蓝色，主臂双手结"金刚哞迦罗印"，交握金刚杵和金刚铃，表明悲智合一。六臂分持五部的象征持物，作为统摄五部的象征，也意味着可以帮助人将五毒"贪嗔痴慢疑"转化为五佛五智。明妃名为触摸金刚母，三面六臂二足，主身蓝色。主尊以禅定坐姿与明妃彼此相拥结合，明妃以腿环扣主尊，这种姿势叫做莲花跏趺坐姿。密集金刚是五大金刚中惟一采取此姿势者，因此是辨认的关键。

　　天界和地界中环绕众多护法神，布置略显芜杂。以青山绿水为衬底，画风单纯。

怖畏金刚与白达里金刚空行母

正如我们在上一幅密集金刚唐卡中所说,无上瑜伽部父续又根据修持者将哪一种精神毒药作为修持之道而分为贪(爱欲)、嗔(忿怒)、痴(麻木)三道用。密集金刚所使用的是爱欲,怖畏金刚所使用的则是忿怒。之所以叫做怖畏金刚,是因为他们能够让所有邪恶势力产生畏惧和恐怖之心。

怖畏金刚又称大威德金刚,梵名为Yamantaka,意为"战胜死神"、"降伏死主"。这个名字有三方面的涵义:修持可以消除早夭,消除因情感和心灵的扭曲造成的内心死亡,消除因经脉和轮穴堵塞造成的神秘死亡。

左页唐卡画中的明妃为白达里金刚空行母,意为"起尸金刚母"或"复生金刚母"。怖畏金刚和白达里金刚空行母都是文殊菩萨的怒尊,而文殊菩萨则代表了智慧,因此,这里的隐喻是智慧以其阳刚之力忿怒地摧毁了三种类型的死亡,以其阴柔之力令人痊愈和复生。

怖畏金刚单身相(没有明妃)可以说是格鲁教派最常见的密续观想主尊。在作单身相时,其阳具通常被绘制得硕大坚挺,象征其修持能快速带来密续证悟的大乐。在双身相中,其阳具也具有同样的象征意义,只不过并没有画出来,仅供修持者想象而已。

与所有密续坛城主尊一样,本幅唐卡中的主尊的每一个身体特征也都有他们的特殊象征意义。怖畏金刚的两只角代表这一修持法系将幻像中身体与明光修持集合在了一起,并赋予了两者同样的重要性。三十四只手,加上身、言、意三密,是三十七道品。十六条腿,代表十六空相。右脚下踩踏着八个人,象征着修持所带来的八种神秘能力,譬如千眼通;左脚下也同样踩踏着八个人,象征着最高加持也就是证果的八个方面。譬如,烤架上的男人象征即世成佛;火锅则象征这一体系有完整的拙火修持指导。

上界正中是金刚总持,左上角是宗喀巴大师,右上角是白度母。两边分列两名护法:大黑天和阎魔天,后者站在一头水牛背,呈舞蹈状,阳具直挺,旁边是伽蒙迪佛母,正要骑上水牛背。阎魔天和伽蒙迪佛母是一对特殊的护法,专门为怖畏金刚密续的修持者提供保护。

在下界正中心,我们可以看见一个小小的吉祥天母画像,左边是毗沙门天财神护法,右边是玛佐嘉摩护法,这两尊护法及周匝其他外围造像可能是在委造者的要求下添加上去的,它们可能在他或她本人的修持中占有比较重要的地位。

怖畏金刚修持在新译派的三个教派(萨迦、噶举、格鲁)中都比较常见,其中以格鲁派最为盛行。

(左页图说)

怖畏金刚与白达里金刚空行母

布本设色唐卡 18世纪 56厘米×41厘米

(下页图说)

怖畏金刚与白达里金刚空行母

布本设色唐卡 19世纪 79厘米×51厘米

时轮金刚与一切母

将无上瑜伽部分别父续、母续和不二续，进而将父续分为贪嗔痴三道用，直到公元8至9世纪方才出现，这一体系属于密宗在晚近时期的发展。在这之前，所有密宗体系都被视为全面的独立的证悟之道。这大概是因为，在数百年间，密乘一直以极其隐秘的方式传播，只有最有前途的学生才能得到传承。大多数修持者除了自己的法系之外，并不知道还有其他法系的存在。

然而，随着密宗逐渐为寺庙体系所接纳，它的秘密也就不复存在。因为寺庙一般都是有着数百僧众的大团体。每个人都开始学习很多不同的密续法系，人们开始产生了整理并重新建构这些法系的需要。

然而，由于在这个过程中很难确立起一个清晰的标准，也就出现了很多不同的结构体系。此外，即便是已经有了单一的清晰的体系划分，对于现有的密续应该被归于哪一个特定的部分也仍然存在着很多争论。

时轮金刚就是其中之一。有的藏传佛教流派将他归在母续，有的归在不二续，有的则认为他应该属于父续第三道用，也就是将痴（麻木）作为证悟之道。

相传，时轮金刚密续是佛祖最早传授的密续体系之一，与《般若波罗蜜多经》同时。然而，在传法后不久，它就被带往了印度，北方一个被称为"香巴拉"的净土，在这里被保存了数百年，直到公元10世纪才重新被带回印度。随后不久被引入西藏。由于其显世时间较晚，因此不为宁玛旧译派所知，而是成为了新译派的独有经典。然而，其广泛的普及度最终还是促使宁玛派接受了这一传承。现在，时轮金刚密续已成了藏传佛教所有流派的重要传统之一。

时轮金刚密续之所以在中亚文化中如此普及，有以下几个原因：首先，它是密宗天文学、宇宙学和星象学最重要的发源地。因此，所有受过教育的藏族人都会在学习过程中或多或少对其有所了解；第二，关于净土有大量的神话传说，据说，这是座落在丝绸之路上的一个富有传奇色彩的香格里拉，接受时轮金刚灌顶可以往生净土；第三，时轮金刚经文内包含了主要的佛家预言，预言也往往最能吸引人们的关注；第四，经典中根据历法原理规定了采收每一种草药的特定时间，因此，所有的藏医都必须接受这一基础训练。

时轮金刚密续中谈到了三种"时轮"：外时轮，是天文学、星相学和宇宙学体系；内时轮，主要针对人体健康状况，包括神经学、心理免疫学等等，以及与人类文化直接相关的问题，譬如环境等；别时轮，一种结合内外时轮作为证悟途径的瑜伽体系。

下页这幅唐卡描绘了标准的时轮金刚双身相。这一传承来自于夏鲁教派，这是萨迦派的一个分支，后来发展成为了格鲁派。画中的女相主尊为一切母，呈站姿，与男尊和合，身赤裸，仅以珠宝饰身，象征坦诚的本初觉悟，散发出世间最美的光泽。她象征了"空相"的智慧，也就是能够让修行者融化身体的原子结构的密法修持方法。通过空相之法，时轮金刚修持者就可以超越普通的无上瑜伽密续的简单的虹光身，将

时轮金刚与一切母 布本设色唐卡 17世纪 88厘米×62厘米

时轮金刚与一切母

布本设色唐卡　19世纪　68厘米×32厘米

　　时轮金刚四面二十四臂二足。主身蓝色，主臂双手结"金刚吽迦罗印"，同时交握金刚杵和金刚铃，代表"智慧"和"慈悲"的结合。面、臂、足显现五色变化，代表"五大"。二十四支手臂形成圆环构图。身着菩萨装与护法装的混和：头戴菩萨的摩尼宝冠，上身佩戴华丽的璎珞臂钏腕镯（以上属菩萨装）；下身穿虎皮裙（以上属护法装）。以展立姿站立于莲台上，脚踏印度教天神红肤欲神、白肤大自在天，两神的配偶伴跪于旁。明妃名为一切母，四面八臂二足，黄色身，以半悬姿与主尊拥抱在一起。明王和明妃的表情都是似嗔似喜，彼此以三眼凝视着对方，恰如热恋中的情侣。天界和地界四角是传承时轮金刚密法的四位印度祖师。

身体化为绝对的虚空，成为类似全息投影的精神投影图。这一独特的空相法义和瑜伽为时轮金刚法系所独有。"一切母"就是这一能力的象征。正如一世达赖喇嘛在他的《时轮金刚两大修行次第注疏》中所解释的："当一个人获得时轮金刚瑜伽修行道路所带来的智慧时，他的身体就会超越普通的物质形相，变得象天空一样澄明……心中充满大乐，与内心的不动智慧永恒相拥。这就是伟大的一切母。"

　　上界正中坐着的是本初佛金刚总持，两边分别是一位净土传承上师或国王。左边一位上师手持智慧宝剑，说明他是《时轮经简本》的作者满育雅沙（Manjuyashas）。右边的一位则可能是另一位重要的早期时轮经作者及净土国王潘达日卡（Pandarika）。在他们下方所坐的两位僧人的身份则无从查考。

　　左上角是时轮金刚的双臂形相，呈站姿，行和合双运。右上角则为摩诃摩耶，同样呈站姿，行和合双运。后一种密续体系比较接近胜乐金刚和欢喜金刚坛城修持，在藏地曾盛行数百年，但是在大约两百年前却因为某种原因逐渐式微。

　　下界正中是时轮金刚的特殊护法维加金刚。左右两边分别是金刚手菩萨及马头明王。

胜乐金刚与金刚亥母

基于胜乐金刚和金刚亥母双运坛城的密续体系，可以说是藏传佛教所有新译派中最普及的无上瑜伽密续之一。这是因为，这一密续修持在公元10至11世纪时期在印度曾经非常普及，而当时正逢藏传佛教复兴，新教派不断涌现。三大印度传承——卢帕达、克里什纳查亚、刚塔帕达以各种传承形式来到西藏。本幅唐卡所描绘的正是卢帕达传承。

胜乐金刚和金刚亥母法系之所以如此盛行，是因为藏族人对泥土占卜及圣地的热爱。此父母尊与喜马拉雅山的很多伟大朝圣地都有联系，其中包括岗仁波齐峰，这里是印度河、恒河、雅鲁藏布江等河流的源头。事实上，围绕着岗仁波齐峰的二十四个圣地都与胜乐金刚及金刚亥母有关。

胜乐金刚梵名为"Chakrasamvara"，意为"大乐之轮"。从认识论来解释就是，进行这一法系的观想和瑜伽修持可以产生将所有知识纳入大乐不二之境的智慧。在无上瑜伽密续的父续、母续和不二续中，这一法系属于母续中的主要经典。

胜乐金刚体色深蓝，象征空间和本初智慧。金刚亥母则为红色，象征火焰和激情。胜乐金刚有四头、每一个颜色都不一样，象征息、增、摄、伏四种佛业。三只眼睛，可以洞察过去、现在、未来诸事。十二只手臂，意指每个独立发源地之间的十二个联系，以此象征他的坛城包含了解脱和证悟所需的全部指导。

他的右脚下踩着印度女神迦梨（死神）的胸部，象征他的修持可以消除普通的生和生命；左脚下踩着黑色的印度神阎摩死主的头，象征他的修持可以消除普通的死和转化。

在胜乐金刚的名字前面，有时还会加上"嘿噜嘎"这一前缀，即"饮血"的意思。嘿噜嘎胜乐金刚所饮的是大乐与空相结合的智慧之血。

上界正中坐着的是密集不动金刚，与胜乐金刚同属金刚部。

至于明妃金刚亥母，我们将在下两章《金刚空行母》和《女佛及其坛城》中有更多论述。

热爱西藏神秘艺术的人都会知道，在宁玛派，胜乐金刚父母尊也就是八大嘿噜嘎之一的大殊胜嘿噜嘎。

（右页图说）

胜乐金刚与金刚亥母

布本设色唐卡 18世纪 79厘米×23厘米

欢喜金刚与无我佛母

与嘿噜嘎胜乐金刚密续一样，欢喜金刚密续也属于无上瑜伽部母续，同样见于藏传佛教所有新译派。事实上，其性质也与胜乐金刚密续非常接近，拥有很多相同的印度经文。

然而，尽管欢喜金刚父母尊是噶举派创始人玛尔巴大译师，也即噶举派十二分支的创始人的主要观想主尊，但是现在的噶举派却已经不再将其作为修持传承，而只是一种灌顶仪式。同样，尽管其在早期的格鲁派拥有非常重要的地位，在最近数百年却已经为胜乐金刚所代替，今天的格鲁派也只是将其作为一种灌顶仪式保存下来。

不过，它仍然是萨迦派的核心修持之一，同时作为灌顶仪式和修行传统得到了完整的保存。这幅精美的唐卡正是萨迦派对西藏文化杰出艺术贡献的最好体现。

尽管从视觉上看图中主尊分为上中下三格，但事实上这三格所绘的却是同一主尊——欢喜金刚和无我佛母双运相——的三组形相，每一组分别站在一个象征女性性器官的红色三角形上。

位于中间的是意密金刚。欢喜金刚呈站姿，与无我佛母行和合双运。体色均为蓝色，代表空间与意识。八面，眼观八种智慧；十

欢喜金刚与无我佛母

布本设色唐卡 17世纪 76厘米×30厘米

胜乐金刚 布本设色唐卡 19世纪 89厘米×53厘米

（左页图说）胜乐金刚四面十二臂二足。主面蓝肤，右前侧面黄肤，左前侧面绿肤，左后侧面红肤。主身蓝色，主臂双手交握金刚杵和金刚铃，代表"智慧"和"慈悲"结合。其余手持各种持物，展立姿站于莲台上。明妃金刚亥母，一面二臂二足，红肤，以悬姿与明王相拥结合。明王和明妃彼此以三目凝眸对视，嘴唇碰触在一起，表达"乐空双运"的奥义。明王脚下践踏红肤、蓝肤两位印度天神，象征佛教胜于印度教。

天界中央为七世达赖喇嘛，左边为印度大成就者，右边为宗喀巴。地界从左至右为四臂勇保护法、金刚瑜伽母、尸陀林主。

欢喜金刚与无我佛母，167页唐卡细部。

六臂，触摸十六空相的本质。每只手持一个盈血颅器，象征产生十六种智慧的大乐。男女尊都身戴骨饰，这是因为欢喜金刚密续是拙火修持的主要源泉。八瓣莲花环绕着中央主尊，每一片花瓣上都有一个不同颜色的佛母在舞蹈，象征位于心轮的八大经脉被打通之后，所产生的八种大乐智慧。

位于这一组上方的是身密金刚，体色洁白，与同为白色的无我佛母行和合双运。外圈环绕着印度教的八位大神，象征欢喜金刚修持所带来的八种常见证悟。

下方的红色三角形中是红色的欢喜金刚和明妃。这是言密金刚。外圈环绕着八位龙族，象征其修持能够带来八种自然力量。

上页整幅唐卡的上界正中心坐着的是本初佛金刚总持。这是释迦牟尼佛的密续形相，也就是他最早传授密续体系所显现的形相。左右两边分别站立着金刚亥母和怖畏金刚。

左首坐着的是11世纪的印度大法师毗卢婆，早期萨迦派喇嘛的大部分传承都来自于他。他体色深褐，身披红色禅修带，左手结忿怒印；右首坐着的是萨迦班智达；他们下方坐着的是萨迦传承的另外两位大师。

画面左下角和右下角分别站立着大黑天护法的两种形相：善相大黑天和怒相大黑天。

欢喜金刚与无我佛母　布本设色唐卡　19世纪　135厘米×67厘米

（右页图说）吉祥喜金刚八面十六臂四足。主身蓝色，主臂双手结"金刚吽迦罗印"，同时交握嘎巴拉碗。白色的嘎巴拉碗内盛不同的天神与动物，右手八物为：白象、青鹿、青驴、红牛、灰驼、红人、青狮、赤猫；左手八天为：黄地神（地）、白水神（水）、红火神（火）、清风神（风）、白日神（日）、月神（月）、阎王（死）、黄财神（财）。身着护法装，头戴五骷髅冠，项挂有五十颗骷髅头的长项链，象征梵文的五十个字母。以舞立姿站于莲台上。金刚无我母一面二臂二足，主身蓝色，以半悬姿与主尊相拥结合。明王和明妃姿态轻盈，宛如起舞。脚踏贪、嗔、痴三魔，象征降伏迷妄。

天界中央是大持金刚，两侧是印度和西藏地区的传承喜金刚密法的诸位祖师。地界为宝帐金刚等伴神眷属。

普巴金刚与洛格津母

普巴金刚双运相是最重要也是最古老的密续传统之一。其为苯教和所有藏传佛教派别所共有，因此也充分地证明了苯教与松赞干布前的印度佛教有着密切联系这一假说。

所有藏传佛教至今都仍然保留着他们的普巴金刚传承。譬如，萨迦天钦法王就常常挥舞手中的普巴杵，以其触碰朝圣者的头部，作为一种长寿灌顶。大多数格鲁寺庙都会在每年的最后一天举行普巴杵舞蹈和仪轨，驱除过去一年的晦气。同样，在噶举派的寺庙中也经常可以看见普巴杵的影子，竹巴噶举派尤其盛行这一修持。

不过，真正最拥戴普巴金刚传统的则是宁玛派。所有新译派都以其他法系作为自己的主要密续修持法系，而在宁玛派，普巴金刚密续则是他们的核心教义。

左边这幅唐卡中所绘制的是普巴金刚的孺童金刚相，这是宁玛派大瑜伽乘八大嘿噜嘎之一。主尊呈忿怒相，黑底金线，使用的是极简主义着色手法。

女尊为洛格津母怒相。宁玛派普巴金刚日修仪轨中有一段她的赞呗，译文如下：

> 畏怖之后洛格津，自在天女坛城母。
> 怒相显身退毒灵，智慧封印生死轮。
> 激拥明王示不二，右手法杖驱邪恶。
> 嘎巴拉碗手中持，无边法力应报身。

普巴金刚与格洛津母

布本设色唐卡 17世纪 198厘米×60厘米

怖畏震吼震寰宇，三界恶灵成粉齑，

慈悲解脱五族生，证入法界敬母尊。

在上界和下界的火焰中，现出无数忿怒尊。有的骑着瑞兽譬如龙、狮等等，手持驱魔法器，譬如神秘匕首和铁钩；有的则以神秘法力翔于空中。大部分都是女尊，乳房硕大悬垂，显怒尊空行母相。

在过去四五百年间，宁玛喇嘛主要仰赖于普巴金刚伏藏传承。事实上，目前仅存的莲花生大师亲自传授的法系可能就是萨迦家族的昆氏传承了。自公元8世纪昆氏族长获莲花生大师亲授传承以来，其普巴金刚修法便一直是萨迦传承的三大支柱之一。这也正是为什么8世纪—9世纪的大师蒋贡康楚在整理普巴金刚伏藏传承时会对其特别关注的原因之一。8世纪的昆氏普巴金刚传承人也是西藏首座寺庙的桑耶寺的七位创始人之一。

大密怒尊与洛巴查姆

左边这幅唐卡为苯教作品，图中主尊为苯教坛城主尊之一，藏名为 Walchen Gekho，呈站姿，与明妃洛巴查姆（Lokbar Tsamey）显双运相。

大密怒尊有九头，象征"苯教九法"。这九个头一共分三组，每组三个，相互重叠。每组中间的面部为蓝色，右边为白色，左边为红色。明妃的中间一个头为黄色，共同构成了佛业的四种颜色。背后展开一对大鹏金翅鸟的双翼，代表其吞噬贪、嗔、痴并将这三毒转化为资粮的能力。他有18只手，显示其坛城以方便和智慧包容所有苯教九法的奥义。

上界正中坐着的是金刚总持，身赤裸，象征毫无掩蔽的法身。他是苯教和宁玛派的本初佛。四周环绕的是苯教传承的各种喇嘛。位于前排正中的大概是来自塔吉克（波斯东部或巴基斯坦及阿富汗以西）的云游法师敦巴辛饶，相传是他最早将苯教经典带到了西藏。

普巴金刚与洛格津母

布本设色唐卡　19世纪　97厘米×48厘米

（上页图说）普巴金刚也叫橛金刚，是金刚萨埵的忿怒相。三头六臂四足，每面三目，呈忿怒相，安住于般若智焰之中。主身蓝肤，背后生双翼，主面蓝肤，右面白肤，左面红肤，象征身、语、意三密。头戴五骷髅冠，表示五佛五智。发中有缠蛇装饰，表明曾降伏龙族的业绩。颈挂三串骷髅项链。三个身体分别披着象皮——象征降伏愚痴；人皮—象征降伏贪爱，虎皮裙，象征降伏——嗔恨。主臂双手合掌捧单面金刚橛，象征净除一切烦恼魔障。展立姿立于莲台之上，右二足踏男魔之背，左二足踏女魔之胸，象征降服四魔。明妃名为洛格津母，主身蓝肤，右手持骷髅杖，左手持嘎巴拉碗，腰系豹皮裙，以半悬姿与主尊相拥交合。两者彼此以三眼怒目相视，血盆大口碰触在一起，毫无性的愉悦，而体现出"降伏"的概念。周匝有众多护法神，骑着各种坐兽，或者步行，来往于云雾之间，场面蔚为壮观。

大密怒尊与洛巴查姆 布本设色唐卡 19世纪 90厘米×66厘米

六臂大黑天护法，173页唐卡细部。

　　尽管明妃的身体是红色的，象征和合的激情，但是她中间的面部却是黄色的，其余两张脸一红一白。与大密怒尊的三色蓝、白、红与其中央色黄色一起代表了四种佛业一样，她的黄、白、红三种颜色也和他的中央色蓝色一起构成了佛业的四种颜色。

　　双运主尊脚下踩着的是恶魔，象征其坛城修持可以赋予修行者法力，保护他们不受超自然世界的侵犯。与藏传佛教中由八头狮子或大象承驮的法座略有不同，其宝座由五头吉兽承驮。在法座上方，是标准的莲花、太阳和月亮法座，与宁玛派及新译派相同。他们被包裹在智慧的火焰之中。

　　周匝是各种怒相随从，其中最重要的是位于下界正中的思巴嘉摩，她通常被视为吉祥天母的二十一形相之一。在她四周簇拥着各种入世间护法，为进行大密怒尊双运相坛城观想和诵咒的人带来安全和成功。

密集嗔恚金刚

布本设色唐卡　18世纪　151厘米×73.5厘米

　　（右页图说）密集嗔恚金刚就是其中的一种化现。主尊三面六臂二足，呈寂忿相。主臂双手结"金刚哞迦罗印"，交握金刚杵和金刚铃，代表"悲智合一"。六臂分持五部的象征持物，其中法轮代表中央佛部，摩尼宝珠代表南方宝部，莲花代表西方莲华部，剑代表北方业部。拥抱明妃跏趺坐于莲台上。天界为吉祥萨拉哈菩萨和龙树菩萨，下界为六臂大黑天护法。

　　这是六世班禅为庆祝乾隆皇帝的七十寿辰，亲自来京觐见并呈献的唐卡，共一堂九幅，此为其中之一。

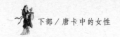

第十五章

金刚空行母

在《三宝、三根本与三种女佛类型》中，我们曾简要论及过空行母。在这里，我们将对这一课题进行更深入的探讨。正如我们以前所谈到的，有的空行母是世间护法，因此属于三根本中的第三类。这一类空行母我们将在第十八章另行论述。本章所讲的是被完全看作是佛，拥有主尊或坛城观想主尊能力的空行母。她们被称为金刚空行母，又称"智慧空行母"。

所有双身坛城主尊中的女尊都可以被称为金刚空行母。然而，她们也通常单独作为坛城观想对象，而不必一定与男尊同时显现。《拥有职能的女佛》中的某些唐卡也可以被归入本章。从技术角度来看，作为无上瑜伽部主尊的狮面空行母也应该属于这一章。作明佛母也同样可以归入本章，因为尽管她的主要形相被归入事部，大多数藏族人却认为她与无上瑜伽部有很多联系。然而，我们之所以选择将她们归入第十三章，是因为她们通常只有在特定背景下才被作为修持对象，而本章其余金刚空行母则在可以普遍被当作观想的对象。

密宗喜欢用三种方式来谈论事情：外、内、密。有时还有第四种"极密"。从外这一层次来说，金刚空行母就是某个特定的坛城女尊所显现出来的大乐和空性智慧，譬如金刚亥母、金刚无我母等等。这些空行母可以在任何时候显现在那些拥有富足资粮的人面前，常常是在梦中、观想中以及以人形或其他生物的形式显现，推动其走上证悟之道。

从内这一层次而言，金刚空行母就是一个人对大乐和空性的悟性。这是一种本初的大乐觉性，无处不在、随手可及，我们随时可以通过它使得我们的生活发生全面转变。

从密这一层次而言，金刚空行母就是金刚体内的明性和灵量的欢乐舞蹈，可以开启轮穴，体验更高层次的精神解脱和大乐状态。

空行母这一名词的由来还有一段历史。在谈到胜乐金刚时，我们曾经提到喜马拉雅山一带的印度和西藏地区有二十四个神力场。藏族人把它们称为"二十四空行圣地"。胜乐金刚则与这二十四圣地的中心岗仁波齐峰有关。

将这二十四个地方视为圣地的传统远远早于佛教，甚至早于印度教。空行母"dakini"这一词也源自于印度西南部的达罗毗荼，而不是梵语。这说明这一传统属于早在北方雅利安人于公元前4000年入侵整个次大陆之前就已经居住在印度的达罗毗荼人。达罗毗荼人具有很浓厚的女性崇拜，他们将这二十四圣地视为"dakini"女神的居所。

雅利安人接管了这些地方，并将它们指派给他们的三位主神之一毁灭之神伊士瓦尔。这三位主神分别是：创造之神（梵天）、守护神（毗湿奴）、毁灭之神（也就是后来的湿婆神）。后来，他们又将毁灭之神与达罗毗荼人所说的居住在这二十四圣地的空行母联系在了一起。

　　密宗称，佛祖不赞同伊士瓦尔空行母崇拜的某些消极因素，以及它们在雅利安传统下被重新诠释的方式，尤其是伊士瓦尔祭祀中以人和动物做祭品的做法。嘿噜嘎（饮血者）这一名字就起源于古印度的血祭传统。

　　此外，在古达罗毗荼时期的印度，二十四圣地的每一个空行母都是人身鸟兽头，譬如，鹰头空行母、鸦头空行母、狮头空行母、虎头空行母、牛头空行母等等。高阶萨满在举行仪式时通常都会戴上与这一仪式相关的鸟形或兽形面具。在北美地区的原住民那里也能看到同样的面具，这大概是他们在1万至2万年前移民北美时带过来的。他们应该是属于早期达罗毗荼传统的一部分，远在雅利安印度教和后来的佛教之前。

　　为了对抗伊士瓦尔的血祭传统以及其他反佛性的活动，佛祖示现了嘿噜嘎胜乐金刚坛城，分别将其伏藏在二十四圣地。他以这种方式征服了伊士瓦尔及其空行母，迫使她们改变以活人祭祀的修持方法，并让她们臣服为佛法护持者。

　　此外，为了使饮血空行母臣服，佛祖还化身为与每个圣地原来的空行母同一形相的金刚空行母，同样是人身鸟兽头。不过，她们所啜饮的却并不是人和动物的鲜血，而是证悟的胜义大乐。也就是说，她们是以圣地空行母形相显现的佛母。

金刚瑜伽母，181页唐卡细部。

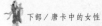

苏卡悉地·拉姆，243页唐卡细部。

我们可以用很多种方式来解读这一古老神话。其中之一就是佛祖将古印度的空行母传统与他的密续传承相结合，取其精华、去其糟粕，然后再将它们加以重组，以满足他的智慧法系的标准。

　　另一种诠释则来自密宗本身，他们认为空行母传统是更早的一种泛亚传统，起源于一位居住在远古时代的佛的教义。经过很多世纪之后，这些传承开始变得无力腐朽。于是，释迦牟尼佛以大日如来和金刚总持的形相将这些传承重新收集起来，让它们恢复原初的纯净，并对它们加以更新，以适应新时代的需要。

　　或许，我们还应该再谈谈将勇父和空行母画作人身和鸟兽首这一传统。和很多古代的神秘传统一样，密宗也将所有生物看作是某些特定品质的化身。狮子并不仅仅只是行走在地球表面的一种无情的大型猫科动物，而是一种神圣能量的化身。象、虎、熊、猴、狼、鸦、鹰也同样如此。作为某种特定能量的化身，这些鸟兽同时也象征着我们自己的身体、情感和精神世界中的某一领域。勇父和空行母所代表的就是接近这些能量和意识维度的修行方法。密宗把他们看作是本初心灵，也就是智慧法门的体现。

　　最后需要指出的是，勇父和空行母是对生和死的赞美。他们是生，因为他们象征着创造出欢乐的生命并永葆其长盛不朽的性能力；这一点从"空行母节"这一密宗节日就可以看出来。这一节日在每个月的第10天和第25天举行，所有进行空行母修持的人都可参加，人人都需饮酒吃肉，以象征男女体液交汇所带来的大乐力量。他们同样也是死，因为他们代表着身体消亡后所显现出来的意识层次。在这个时候，他们就是智慧的一部分，引导修行者穿越危机四伏的中阴之道。

　　正如七世达赖喇嘛在诵持经文中所说：在我的今世终结之日，愿我的精神上师能示现为嘿噜嘎，四周环绕着无数的勇父和空行母，引导我走向金刚瑜伽母之净土。

金刚亥母

　　金刚亥母是嘿噜嘎胜乐金刚密续的主要佛母，我们在上一章《胜乐金刚》一节曾经提到过她。这一密续法系提供了很多基于某些特别大师的个人观想的附属修持方法。好几个藏地最为重要的金刚空行母修持都起源于此。

　　11世纪，源自印度大成就者鲁依巴、坎哈、刚塔帕达的三大嘿噜嘎胜乐金刚密续传承进入西藏，成为西藏宗教复兴的一部分，并由此诞生了新译派。其中，刚塔帕达的传承又被称为"刚塔帕达胜乐五尊坛城"。下页这幅唐卡中所绘的金刚亥母与五尊立舞空行母形相即起源于这一传统。该传统后来由印度上师帝罗巴根据自己的观想体验加以修改。在这之后，帝罗巴又将这一传承授与了那洛巴，后者又将其传给了他的西藏弟子玛尔巴译师。

　　"刚塔帕达胜乐五尊坛城"是噶玛噶举派及其十一个分支中的大多数教派在传统的三年闭关修炼的第二个半年期所使用的主要"坛城主尊修持法"。其主尊为胜乐金刚与红色金刚亥母，现大乐双运相，其余四方则坐着其他四位空行母。这一修持可以

金刚亥母　布本设色唐卡　18世纪　37.5厘米×27.3厘米

被简化为空行母观想，去掉中央的胜乐金刚，仅剩下金刚亥母和其余四位空行母。

在上页这幅唐卡中，中央主尊为金刚亥母，红色，象征爱欲激情以及无所不见的智慧。她表情丰富，半静半怒，表示她同时轻松驾驭着四种佛业。三只眼睛，洞察三世。深褐色的头发向上飘飞，象征其修持可以带来精神的飞升。

右手高举一只金色金刚钺刀，代表切断自我的智慧；左右持白色噶巴拉碗，代表不二的大乐。左臂肘弯倚骷髅杖，象征她本质上是佛的三身。头戴五骷髅冠，象征拙火修持是其教诲的核心。

所有五尊空行母都呈舞姿，持相同的法器。体色各不相同，象征佛教的五大派别或五色人种，以及五种智慧、五种元素等等。然而，其中的黄色却为红色所取代，以强调与胜乐金刚法系相关的神圣双运能量。

上界正中是十三世噶玛巴法王，说明这幅唐卡原来属于噶玛噶举派的一个修持者。法王身穿僧袍，下身包裹在黄色的袈衣中，从其莲座来看，这幅画像应该造于其在世期间。

他头戴著名的黑帽。这顶帽子有很深的渊源，可以一直追溯到一世噶玛巴法王和明朝皇帝。有一次，当一世噶玛巴法王为明朝皇帝举行密续灌顶仪式时，后者观想到噶玛巴头戴一顶由空行母的黑发织成的僧帽。于是他依照观中情景制作了一顶黑帽，送给了法王。从那以后，这种帽子就成为了所有后世噶玛巴法王的宗教权力的象征。数百年过去，以噶玛巴转世法王所领导的噶玛噶举派一直以其黑帽而闻名，有时甚至被称为"黑帽派"。噶玛巴转世法王加冕典礼的一个最重要的仪式便是展示这顶帽子。在噶玛巴法王的一生中，他还会举行很多次"黑帽典礼"，在仪式上，这顶黑色的帽子就会从匣中取出，被放置在他的头顶上。观礼的人也会获得加持。

这顶黑帽的象征效力一直延续至今。根据十分之九的拥有权法律，拥有帽子的人可以拥有噶玛巴十分之九的宗教继承权，至少在普通藏族人心目中是这样。

事实上，早在17世纪中期，一世噶玛巴法王从明朝皇帝处得到的那顶黑帽被已经被密藏在了布达拉宫一座佛堂内的佛塔中。后世噶玛巴法王仪式上所使用的黑帽只是原件的复制品而已。

十三世噶玛巴法王，178页唐卡细部。

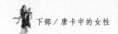

金刚瑜伽母

　　10世纪的印度大成就者帝罗巴有很多学生，那洛巴是其中最伟大的一位。他对于藏传佛教尤其重要，因为新译派的很多传承都源自于他。那洛巴还是噶举派及随后的十二分支派别的创始人玛尔巴译师的两位传承上师之一。此外，他还是噶当派创始人阿底峡尊者的上师之一。他的部分传承还经由尼泊尔传到了萨迦派。最后，到了14世纪后期和15世纪早期，宗喀巴大师对大多数那洛巴传承进行了总结和折衷，将所有主要的新译派传承融汇成为了格鲁派。

　　右页这幅唐卡中的金刚瑜伽母在西藏又被称为"那洛卡居空行母"，即"那洛巴的空行母"的意思。这是那洛巴没有传授给玛尔巴的少数几个传承之一。不过，它却经由尼泊尔传给了帕丁巴兄弟，后者师从那洛巴，将这一传承带回了家乡。由于他们主要在尼泊尔的小山村帕平闭关和传道，时至今日，这里仍然是重要的金刚瑜伽母灵量场和朝圣地，拥有数十座寺庙、僧院和静修所。

　　帕丁巴传承最后通过早期萨迦喇嘛进入了西藏，在长达300年的时间里，一直是萨迦派独有的经典。后来，这一传承进入格鲁派。今天，它仍然是这两大传统最重要的空行母本尊修持法。在萨迦派，它被列为五大主要密续法系之一；而在格鲁派，它则通常被作为本尊修持，用于依据那洛巴六大成就法进行的传统的三年闭关修行。

　　尽管金刚瑜伽母的立足点与金刚亥母不同，但是他们的很多其他细节却都是一样的。最大的不同是金刚亥母修持是基于帝罗巴的观想，而金刚瑜伽母则是基于帝罗巴的学生那洛巴的观想。这也正是那洛卡居空行母这一名字的由来。

　　与金刚亥母一样，金刚瑜伽母也同样是红色，象征爱欲的激情。她手中同样持一把钺刀、一个噶巴拉碗、一只骷髅杖，其象征意义也完全与金刚亥母所持法器相同。

　　上界正中坐着的是金刚菩萨。他是本初佛金刚总持的另一个形相，仅见于金刚空行母法系。体红色；右手持达玛鲁鼓，象征拙火修持；左手持噶巴拉碗，象征不二境界的大乐智慧；左肩倚骷髅杖。

　　上界左右两角分别坐着一位萨迦喇嘛。他们身披僧袍，头戴萨迦上师特有的深红色班智达僧帽。两人都坐在软垫上，说明这幅唐卡是造于这两位喇嘛在生之际。从图像特征来看，左边的喇嘛极有可能是集成大师嘉央钦萨旺波，他曾经编撰过22篇有关金刚瑜伽母修持的经文。

金刚瑜伽母 布本设色唐卡 19世纪 51厘米×37厘米

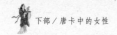

金刚无我母

欢喜金刚双尊中的女尊无我母是西藏另一个重要的空行母修持对象。正如上文所说，欢喜金刚密续与嘿噜嘎胜乐金刚密续之间有很深的联系，事实上，两者都拥有很多来自古印度传统的相同法义。玛尔巴译师在从那洛巴接受大量的嘿噜嘎胜乐传承的同时，也从他那里接受了欢喜金刚密续，以及相关的空行母修行法。事实上，欢喜金刚与金刚无我母的双运坛城正是玛尔巴译师的主要坛城修持法。他对这一空行母修持法非常投入，甚至把自己的妻子也取名为达媚玛（无我母）。更令人惊讶的是，尽管玛尔巴是噶举派的创始人，但是在今天，无论是欢喜金刚还是金刚无我母在今天的噶举派都并没有受到太多重视，目前几乎只有萨迦派还保存了这一修持传统。

这幅唐卡所描绘的是11世纪的印度大成就者毗卢婆，他是很多萨迦传承的主要来源。这说明这幅唐卡曾经属于萨迦僧院。在这里，毗卢婆观想到了金刚无我母的三种法相，这三种法相是毗卢婆精神历程的重要部分，他正是从这些法相中受到了指引，建立起自己的传承。今天，他也主要以从这些法相中获得的教义而闻名。

在画面中央，金刚无我母袒露上身，双手持钺刀及噶巴拉碗，有意识遮住胸部，以减少画面的性含意。这说明此幅唐卡大概是由将含蓄视为美德的僧院所委造。裸身象征她的智慧和教义的真如实相和毫无矫饰的品质。腰系虎皮裙，说明她象征着在丛林及其他偏僻之地进行观想修持的无畏精神。第二尊金刚无我母位于她的上方，单腿站立，呈舞姿，另一条腿盘曲在后，结禅定坐。第三个形相结禅定坐。

毗卢婆遭遇金刚无我母的故事是藏族人最津津乐道的传说之一。据说，毗卢婆当年是纳兰达的一名僧侣，事实上，是该僧院的主持。白天，他过着普通的僧侣生活，向年轻的僧人传授显法。晚上，他却秘密修炼嘿噜嘎胜乐坛城密续观想。然而，在练习了很长时间之后，他不但没有得到任何成功启示，反而恶梦连连。于是，他认为金刚乘不适合此世的自己，于是就放弃了修炼，将念珠丢入了茅厕。

突然，金刚无我母以一名平民妇女的形相显现在他面前，引导他捡回念珠，并清洁干净。当天晚上，她又再次以金刚无我空行母位于十五空行母坛城的形相再次显现，向他传授要诀和奥义。他所接受的这一简洁教义成为了西藏著名的"道果法"，也是萨迦派最珍贵的教义之一。

在第一次得见无我母形相时，毗卢婆还仍然是大纳兰达寺的僧人。不久以后，他离开了寺庙，脱下法衣，徜徉在印度的丛林之中。有关他的传奇故事是西藏文学中最为津津乐道的一个主题。

至于他为什么会"恶梦连连"，人们的解释是，他接受了嘿噜嘎胜乐奥义，但却并没有正确诠释梦中的要诀。这些梦看上去是恶梦，但事实上却是在告诉他，他的业缘却并不是嘿噜嘎胜乐修持，而是其姊妹坛城欢喜金刚，以及无我空行母。

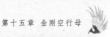

金刚无我母 布本设色唐卡 16世纪 60厘米×79厘米

白瑜伽女　布本设色唐卡　19世纪　58厘米×43厘米

上界所显现的是欢喜金刚密续传承的印度大师。毗卢婆也在其中，位于右起第三个。他旁边坐在老虎背上的则是他的主要弟子之一东碧嘿鲁噶。

下界的一排则是另外一组与欢喜金刚传承有着间接联系的大成就者。萨迦派以其八十四印度大成就者而闻名。这幅唐卡大概曾经属于一个表现八十四大成就者及其传承的组画。

白瑜伽女

这幅唐卡描绘的是来自玛姬拉尊（1055年—1153年）传承的白瑜伽女，居住在西藏珠穆朗玛峰附近的女神秘主义者。在这幅唐卡中，她显现为智慧空行母的形相，舞姿，赤身着璎珞，肩披霞带。右手持手鼓，象征法行；左手持法铃，象征空性智慧。

在藏传佛教所有教派中，都可以见到这一源自玛姬拉尊的空行母形相。譬如，二世达赖喇嘛就曾经撰写过这一修持的观想要义。他的学生班禅索南扎巴后来为此要义编写过大量的注疏，两者共同构成了格鲁派修持的基础。

这幅唐卡所描绘的是噶玛噶举派的传承。这一点可以从左上角坐着的一个夏玛巴喇嘛判断出来。在早期的噶玛噶举派，夏玛巴祖古的位置仅次于噶玛巴法王，不过在18世纪后期，清朝取消了对其转世的认可。

在画面的中间靠左（也就是玛姬拉尊的右边）坐着的是玛姬拉尊的根本上师，印度上师当巴桑杰。他体呈深褐色，现大成就者相，颈带骨饰，头戴骷髅冠，身披红色禅修带。右手持达玛鲁鼓，左手持腿骨号角。

玛姬拉尊左边是坛城金刚亥母，体红色，呈舞姿。她是噶玛噶举派的主要空行母修持本尊，中央主尊正下方是黑空行母卓玛那嫫，是玛姬拉尊传承的怒相。

上界正中是智慧化身的般若佛母，下面为释迦牟尼佛。在西藏绘画中如果出现般若佛母，通常都说明与玛姬拉尊有关。尽管般若佛母见于藏传佛教所有教派，但一般只会在玛姬拉尊传承的绘画中才会大量出现。下界是各种护法。

来自玛姬拉尊的白瑜伽女所象征的修持方法经常与藏族人所说的"墨脱秋练法"共同使用，也就是"萃取花精法"。修持者断绝所有常规饮食，每天只服用六片由花瓣制成的丸露。二世达赖喇嘛曾经撰写过有关这一方法的释文，简要介绍了玛姬拉尊传承制作百花丸露的标准配方。这种丸露一般用于二十一日斋戒闭关，作为斋戒期间的冥想、训练及各种活动的基础。

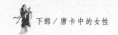

卓玛那嫫黑空行母

源于女修行者玛姬拉尊的另一个重要的空行母修持就是卓玛那嫫黑空行母修持。和白瑜伽女一样，这一传承最初几代也仅限于能断派，但是最终都在某种程度上为藏传佛教所有派别所吸收。譬如，八世噶玛巴法王就对她有着浓厚的兴趣，并在噶举派广为推行。后来，蒙古的当巴至尊又将其推广到安多和蒙古的所有僧院和静修所。二世达赖喇嘛还撰写了一本简要导修手册。

然而，毫无疑问，在这几百年间，宁玛派对这一传承表现出了最高的兴趣。很多宁玛派喇嘛至今仍将其作为他们的主要空行母修持法。从上上世敦珠仁波切（1835年—1904年）的观想经文中就可见一斑，他的伏藏经文被视为关于这一修持的最权威以及最全面的经文。敦珠仁波切是宁玛派的最高喇嘛。

从上界正中的造像可以看出，这幅唐卡所表现的正是宁玛派的传承。这是宁玛派早期创始人莲花生大师。他身穿三乘法袍——小乘、大乘、金刚乘——意指他是精通三乘的大师。在他的左边是印度大师当巴桑杰，他是玛姬拉尊传承的根本上师，同时也是藏地黑空行母传承的印度起源。上界的另外三位喇嘛应该都是黑空行母法系的传承上师。

黑空行母呈怒相，象征世俗谛上的自相有智慧。其上方有一个野猪头，象征胜义谛上的空性见智慧；她眼向上看，象征其修持可带来快速证悟；她手中的法器类似于金刚亥母，象征意义也一样；她身披象皮，象征其观想可以控制迷失的心灵；腰系虎皮，象征其观想可以带来无畏；虎皮裙中间略略分开，露出阴唇，象征其观想修持可以产生基于密续空观的大乐；身上缠着活蛇，象征所有自然生灵都会协助其修持者。

坛城四方为四个呈舞姿的空行母，每一个颜色都不相同：红色的莲花空行母，黄色的大宝空行母，绿色的业空行母，白色的佛空行母。

这五尊空行母都踩踏在一个裸体男人的心脏位置，其象征意义，读者或许可自行去揣测一二。

下界正中有三尊女护法。每一尊都是右手持钺刀，左手持噶巴拉碗。中央一尊坐在一匹狼身上，后者则站在一个盈血的三角形之中。三角形象征女性的生殖器官，血源自她们的生理周期。下面两尊座下则是老虎和蜥蜴。两者都手持套索，上套一个裸体男人，拖拽在身后。其中奥义，同样也留待读者自己去猜测。

卓玛那嫫黑空行母　布本设色唐卡　19世纪　68厘米×47厘米

三昧耶度母 布本设色唐卡 18世纪 91厘米×66厘米

上方为本初佛金刚总持，左边为印度大师佛陀笈多，右边为其西藏弟子多罗那他。188页唐卡细部。

三昧耶度母

这是一幅比较罕见的唐卡，绘制的是三昧耶度母。她体色深绿，半静半怒，伴随她的还有四位随从瑜伽女，分别位于坛城的四方。由此可见，这是度母在无上瑜伽密续部的法相，是与印度金刚空行母密续法系混合后的产物。

中央主尊呈深绿色，象征她是本初能量的精华。面有三目：右眼观世俗界，左眼观胜义界，第三只眼观灵异界。

八只手臂，右边三只持箭，箭头为粉色青莲花。箭头带花象征三昧耶度母修持法系的智慧，能够通过空性见将所有负面力量转化为富有创造力的能量；手鼓象征瑜伽修持控制人体灵量的能力；钺刀象征切断我执的原初觉悟；第四只手结与愿印，象征其修持可以满足世俗和精神的所有需要。

左手当胸持一曲蓝色莲花，一把青莲花弓，一把三叉戟和一个噶巴拉碗。莲花象征将世俗情景转化为胜义体验的能力；青莲花弓象征其观想拥有射出智慧之箭的法力；三叉戟象征她同时拥有三身；盈血颅器象征其修持者能够畅饮胜义大乐；左肩倚骷髅杖，象征其法系传达了母续的全部奥义。

她头戴五骷髅冠，象征五种智慧；颈挂由五十一颗人头串成的项链，象征她断绝了产生于五十一种次等精神原型的所有日常行为。

她的头顶上方坐着本初佛金刚总持，意指她的修持法系属于无上瑜伽部。左边是印度大师佛陀笈多，为密法大成就者的造像，他身穿缠腰带和禅修带，长发，在顶冠上方结成发髻。

右边是这位16世纪的印度大师佛陀笈多的西藏门徒多罗那他。他头戴觉囊派的班智达帽，身穿法衣。他及其上师的示现说明这幅唐卡属于觉囊派。

左上角为一个蓝色的怒相空行母，手持宝剑，骑蓝色水牛；右上角为半怒红色空行母，手持铁钩，骑红鹿；左下角为一个白色的空行母，面相平静，持莲花，骑黄鹅；右下角为一个黄色空行母，面相平静，骑白象。她们都是来自二十五主尊坛城的主要随从，属于无上瑜伽部母续（智慧续）。这五尊空行母造像合在一起，象征着由五蕴转化为五智、五佛，也就是通过这一转化修得证果。

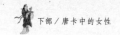

第十六章

女佛及其坛城

我们在首篇曾经讲过，藏语中将梵语的"曼荼罗"，也就是"坛城"翻译成为"吉科尔"（Kyilkhor），kyil是"精华"的意思，khor是"萃取"的意思，也就是说，坛城是用于萃取生命精华——即智慧和证悟——的观想对象。

我们还谈到了能依和所依坛城，前者指的是作为观想对象的坛城主尊，后者则指的是这些主尊的居所。坛城主尊是"能依坛城"，譬如圣救度母，其观想可以帮助修持者萃取佛业或菩提的精华。在观想时，圣救度母所在的宫殿或宇宙空间也被称为坛城，因为观想这一坛城可以萃取为主尊的心灵提供滋养的宇宙精华。

事实上，无论是能依还是所依坛城，本质上都是相同的，因为两者都是中央主尊智慧意识的化身。因此，坛城（从两方面而言）是证悟体验本身的象形图案。七世达赖喇嘛在他的密集金刚灌顶仪轨中曾经这样写道："主尊的智慧以能依和所依坛城的形相显现，其中包括所有主尊与他们的居所。一切都在其中。坛城的一切在本质上都是大乐与空性的密续智慧。"

很多人对坛城的观想方法都有误解。他们认为，坛城会浮现在自己面前，让自己去观察和理解，就好像观察和理解一片雪花一样。

然而，真正的坛城观想事实上是重新创建自我感觉的过程。观想者的意识变成了坛城主尊的意识，观想者的身体变身了主尊的身体，观想者的语言变成了主尊的金刚诵咒。整个外在世界也都变成了一个所依坛城，最后，尽管有身、言、意及外部世界的区别，它们在本质上又都是同一的、原初的不二智慧。

当这个外在坛城被绘制在画布上时，就变成了一种小型的二维图像，其尺寸就是帆布的尺寸。但是，真正的观想坛城却是三维的，与宇宙一样庞大，从上到小，从左到右，横跨数兆亿公里。画布上的坛城事实上是一张"平面图"，只不过比例不太正确而已。譬如，在右边这幅唐卡中，金刚亥母的坛城就好像两个重叠的三角形，形似大卫王之星。这颗星在画中通常只有主尊身体的两到三倍，而事实上却是和宇宙一样大，与之相比，位于正中的金刚亥母就好像一粒芝麻或是尘埃。在画布上是无法传递类似比例的。

所依坛城的每一部分都有其象征意义，代表成为坛城主尊所要具备的先决条件。因此，要了解密法修持过程，就需要了解坛城的含意。每一座坛城都有其独一无二的特色，不过也有很多共同之处。我们可以从最外圈开始，一层层来了解。

坛城的最外圈通常为一个四色火圈。尽管其外形如同一个圆环，但实际上却是一个球体，直径数兆亿公里，涵盖整个宇宙。象征着坛城智慧无所不在，涵盖一切经验领域。四种颜色象征着由大慈悲所驱动的大智慧以四佛业填充了整个宇宙。

火圈之内是一个环或一圈金刚链。同样，尽管这里的圆环是二维的，但事实上却是球体，将整座坛城包裹其中。金刚代表坚不可摧，象征没有任何武力可以摧毁，也没有任何诱惑或挫败可以动摇这种智慧。拥有它的人在任何环境下都可以永远了悟明性。

金刚环内还有两个细细的圆环，一白一红。在小一点的唐卡中，你或许看不见这两个环，但是在大一点的唐卡中，却可以清晰地看见。它们代表"本真之源"，在观想中形似一个倒金字塔，白色代表空性智慧，红色代表大乐。有的画中也用两个三角形来代表这一本真之源，或是像上一幅金刚亥母坛城一样，用一个类似大卫王之星的双三角形来表示。这个三角形顶角向下，底边无限延伸，因为坛城观想可以让观想者的所有精神特质无限延伸。整个坛城宫殿和主尊都位于这个三角形（或双三角形）之中，象征能依和所依坛城都是从大乐与智慧中生出。

在这些环里面，通常还可以看见一圈白色莲花，象征密法传承可以将俗世的丑恶和悲苦化作智慧的美丽和欢乐。此外，在无上瑜伽密续，白色莲花还象征运用令众生执着痴迷的爱欲达成证悟的能力，在这些环中间，竖立着一个巨大的交杵金刚，四翼或四个"号角"分别延伸到四方。每一个号角上都有标准的五个尖角，代表五智。在大多数绘画中，这些号角都可以在坛城主尊的所依居所，也就是天界宫殿的四个大门处看见；出于实际的考虑，画上一般只绘出两到三个尖角，暗示只有那些拥有五智的人才能够通过这些大门，成为坛城中的主尊。

如果我们将四座大门上的五个金刚号角加在一起，一共就是20个。代表将20种"执取"转化为20种正

金刚亥母简易坛城，用于灌顶仪式。

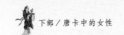

觉。这20种执取分别属于人的五蕴，每蕴共一种。譬如，想蕴的四执取就是：想我为形，想形为我，想我有形，想形有我。

和所依坛城中的所有事物一样，宫殿本身也是由大乐的光线和灵量制造而成。没有任何东西是世俗中实有的，墙壁由五重光线组成：白色、黄色、红色、绿色和蓝色，意指坛城主尊居住在五种本初智慧建成的房屋之内。

四道大门通常代表禅定的四个层次。只有进入禅定的人才能进入其中，换句话说，所有居住其中的人都拥有禅定法门。其中，东门代表四正念，南门代表四如意足，西门代表五根，北门代表五力。只有拥有这些品性的人才能进入坛城。

宫殿的四周环绕着一圈护壁，代表四种三昧，譬如常行三昧。护壁上站着四组供养天女，代表四真言。

整个坛城装饰着宝石、珍珠项链及其他装饰品。宝石代表密续智慧用以满足所有世间需求和愿望的各种方法。珍珠项链代表密续道路的纯净。图中还装饰着宝石做成的喷柱，形似倒立的酒瓶，象征大乐智慧不断倾泻出资粮和甘露，激励有情众生成长顿悟。最后，坛城中心的圆圈代表空性，圆内的一切都平等无二。

每一座坛城都有成百上千个更多的小细节，每一个细节都有自己的象征意义。以上所述则是"进入坛城"这一修持过程背后的基本理念。

胜乐金刚坛城

在第十四章《父母尊中的母尊》中，我们曾经看到过嘿噜嘎胜乐金刚的简单形相。正如我们所说，在11世纪宗教复兴时期，也就是藏传佛教新译派兴起之际，这一密乘法系的三支印度传承通过各种不同的传播线路进入了藏地。

本幅唐卡中的主尊就是鲁依巴传承的嘿噜嘎胜乐金刚。这是三大传承中最复杂的一支，一共有62位坛城主尊，是萨迦派和格鲁派胜乐金刚的主要法相。图中，中央主尊呈站姿，与金刚亥母显双运相，外环绘着五圈随从。

就近观察坛城的外圈，我们可以看见其中一圈上绘着八大寒林。这一元素在某些坛城（如密集金刚坛城）中不会出现，但一般在胜乐金刚坛城中会被重点强调。在印度，很多胜乐密续修持者经常在寒林闭关，以增强他们对人生危难的感受。寒林是抛弃尸体、供野生动物分食的地方，食肉动物吃食的时候是最危险的。胜乐金刚密续的修持者就坐在这样一个豺狼虎豹夺尸而食的骇人场景中，观想禅定。一般来说，每个寒林都会有八个特征，譬如，一堆火、一棵树、一朵云等等。每一个特征都象征胜乐坛城修持的一个方面。火通常象征的是拙火。

上界坐着的是本初佛金刚总持，左边是红色的金刚瑜伽母。两侧分坐的是各种印度和西藏地区的传承上师。这幅唐卡中，还有两个简易的坛城。一个是左上角的欢喜金刚坛城，另一个是右上角的怒尊甘露漩坛城。上界和下界其余空间则密布着其他各种坛城主尊。

胜乐金刚坛城 布本设色唐卡 14世纪 81厘米×67厘米

　　右下角较大的一尊造像是怖畏金刚,我们在第十四章曾论及过他。他在这幅唐卡中的形相来自于宗喀巴大师的观想,说明这幅画应该是属于早期的格鲁派僧院。右下角一个较小的身穿袈裟的坐像大概就是当初委造这幅唐卡的人。

　　下界的一排造像是各种护法,其中包括胜乐金刚密续的护持者大黑天护法(右下)。

　　这幅唐卡的绘制风格是典型的十四五世纪的藏西南风格。这种风格也见于江孜、拉萨、萨迦等地的寺庙和僧院,这些城镇都位于拉萨至加德满都贸易线上,因此有着浓厚的尼泊尔影响。

胜乐金刚坛城　　布本设色唐卡　19世纪　105厘米×64.5厘米

（上页图说）这是一幅胜乐金刚坛城，以黄色为衬底，周围以黑、红色为装裱衬底，绘制龙、狮、大鹏鸟、蛇、荷花等各种图案，显得富丽堂皇。图中有3组双身像，一组为坛城中央的胜乐金刚，一组为天界中央的普贤王如来，一组为八大寒林中的8尊守护菩萨。胜乐金刚，也叫上乐金刚，清代宫廷习惯上呼之为"上乐王佛"。他是无上瑜伽部母续的本尊守护神，被视为母续的最高成就，阐述明光教法。地界中央为释迦牟尼佛，旁边有随侍的二菩萨。唐卡四角有4位空行母。

金刚亥母坛城

　　我们在上一章《金刚空行母》中，曾经看到过一幅金刚亥母的造像及其五尊坛城。在该幅唐卡中，她位于坛城正中，赤身，显舞姿，其余四个化身分列坛城四方。在这幅唐卡中，五尊都位于坛城之中，也就是形似"大卫王之星"的双三角形正中心。金刚亥母位于正中，上为红色的莲花空行母，右为绿色的喇嘛，下为深蓝色的空行母，左为黄色的宝生空行母。六角星的每一个角内分别画着一个"卍"字，代表修持所带来的大乐与智慧。

　　除这一主坛城之外，在这幅唐卡的每一个角还装饰着来自其他密续传承的简易坛城。每一座坛城主尊都为女性。大概全都是500年前委造这幅唐卡的人所修持的主要密法。左上角是胜乐金刚与金刚亥母双运坛城，周匝环绕着四个呈舞姿的空行母。右上角是欢喜金刚与金刚无我母双运坛城，周匝环绕着四个呈舞姿的空行母。左下角是作明佛母坛城，周匝环绕着四个伴随空行母。最后，右下角是圣救度母坛城，周匝环绕着她的四个化身。

　　上界是印度和西藏地区的传承大师的传统造像。戴黑帽的喇嘛是噶玛噶举派的领袖噶玛巴法王。他的出现说明这幅唐卡曾经属于噶玛噶举派的修持者。另一个头戴式样相同的法帽，但第二排最右边颜色为红色的喇嘛则是另一名重要的噶玛噶举派转世活佛夏尔玛喇嘛。

（右页图）

金刚亥母坛城

布本设色唐卡

15世纪　50厘米×37厘米

金刚瑜伽母 布本设色唐卡 91厘米×58厘米

金刚瑜伽母（那洛卡居空行母）

密续经文认为，人最好能够即身成佛，也就是在一世就获得圆满证果。然而，如果不能做到这一点，次好的就是能够投生净土，在那里继续证悟之道。佛教经文谈到了很多类似的净土，譬如弥勒菩萨的兜率净土，以及阿弥陀佛的西方极乐世界等。

然而，金刚瑜伽母的净土卡居林则比较特殊。与金刚瑜伽母密续有关的虹身修行可以赋予修行者在死亡时带走色身的能力。而其他净土，比如上面所提到的两个，死亡时则只能带走灵魂。身体必须留下。

卡居林净土和虹光身修行是西藏绘画和文学中的常见题材。藏族人喜欢讲述他们的上师去世时身体化作虹光飞向卡居林，只剩下毛发和指甲的故事。这就是这幅唐卡背后的主题。

在这里，金刚空行母以那洛卡居（或者说"那洛巴空行母"）的形相出现，位于宫殿的底层，这个宫殿就象征着卡居林净土。整座宫殿从坛城中心竖立起来，其透视手法颇有一点毕加索风格。您或许还记得，我们曾经说过，如果按比例来画的话，这个位于双三角形中的宫殿应该比芝麻粒还小。

第二层画的是一个简单的胜乐金刚与金刚亥母的双运相，周匝环绕着一群早期的萨迦传承上师，意指这些上师来到了卡居林净土，引导投生净土的人走上密续修行的道路，同时也派出自己的化身利益众生。

在第三层，我们可以看见本初佛金刚菩萨，他当胸持金刚杵和法铃，象征证悟。

宫殿（净土）的左右天界充满了飞行的空行母，带领着各种获得虹光身的修行者飞往卡居林净土世界。

下界则绘着各种护法。

那若空行佛母　　布本设色唐卡　19世纪　131.5×61.5厘米

（下页图说）金刚瑜伽母普遍流传三种传承：那若空行母、帝释空行母和弥支空行母。那若空行母身是红色，一面二手，具有五手印之饰。双足右屈左伸，以莲花日轮为座。右手持金刚弯刀，左手持盛满血液的头颅碗。腋夹天杖，面朝天呈饮血之势，天杖顶部挂有法铃、两面鼓、幡三种法器。黑发卷曲，五骷髅为头饰，以50个骷髅作为链珠，威立在智慧火焰中的日轮之上。那若空行母红身为慈悲，五手印为装饰是代表五佛性，莲花座为远离世俗，日轮座表示忿怒佛母，天杖顶部挂有法铃、两面鼓表示悲心及欢喜。本唐卡所绘的那若空行母身上充满了一种女性的活力，那粗细有致的线条，曲直分明，恰到好处，面带愤怒之相，就连脚下的男鬼女妖和画面周围的人物也神态各异，栩栩如生。

般若佛母"药师佛"坛城

西藏传统的自然疗法是建立在《四部医典》的基础之上。拉萨西藏藏医学院（MentsiKhang）的所有毕业生都接受过《四部医典》的严格训练和考核，其中也包括这些医书的很多释论。传统的医学训练需要至少7年的学习和5年的实习，在这之后才能获得执业资格。

藏族人相信，《四部医典》是由释迦牟尼佛祖以药师佛的形相亲自传授的，药师佛也是西藏绘画的常见主题。

这四部医典的第一部是《总则本》。在这幅唐卡中，药师琉璃光如来（即释迦牟尼的药师佛形相）位于坛城的正中，解释坛城的各方与身体、情感、精神状态的关系，草药、矿物质、饮食、运动、冥想、瑜伽的知识，以及有助于保持身体健康和在任何条件下维持身体、头脑和精神平衡的行为疗法。他还介绍了八种基本的疾病类型，以及分别象征治疗这八种疾病的医疗技术的八种药师佛。

由于《医典》是由佛祖亲自传授，并且是基于宇宙的证悟智慧，其坛城通常以般若佛母坐于正中。在这里，般若佛母所代表的是过去、现在和未来的所有证悟之人的医疗智慧。有的时候，中央主尊的位置画的并不是般若佛母，而是《总则本》。在第二种情况下，这本医书通常会放在一朵传说中的龙树之花上。龙树的树根、树皮、树干、树叶、花、果实，每一部分都具有医药功效。

在这幅坛城中，般若佛母被绘成了橙色，象征所有证悟之源的殊胜智慧。她有四条手臂，分别代表四种宝贵的品质：爱、慈悲、乐、镇定。这四种品质是成为医者的先决条件。向内的两只手结说法印，因为医者需要分享自己的知识。向外的两只手持金刚杵和书，代表方便与智慧的结合。

在主尊四周，还坐着药师八佛，再外面的两圈则是各种其他菩萨。上界和下界坐着成排的传承上师，释迦牟尼佛位于左上角。

有趣的是，在整幅画面的各个角落，一共坐落着35尊净身佛。所有疾病都与恶业有关，背诵这35尊佛的名字是净化恶业的传统方法之一。药物、饮食、运动和精神修持被看作是治疗的四大方法。背诵含有这35位净身佛名字的经文属于第四种治疗方法，也就是精神修持中最受推崇的法门之一。

作为一名藏医，不仅要研习药师佛坛城，借以了解身体、情感、心灵以及这三个领域中的致病因素，还会每天进行坛城观想。药师佛坛城观想可以起到和所有坛城观想一样的作用。譬如，观想者首先观想与整个宇宙一同化入光线之中，然后再以主尊的形相出现在坛城中心，周匝环绕着其他坛城主尊，以及各种所依坛城环境，以此拓展个人的智慧。

在第十二章《长寿三尊》中，我们曾经谈到过与白度母、阿弥陀佛、大白伞盖佛母有关的瑜伽修持传统。这一传统也包含在了上述第四种治疗方法之中。在藏地，长

药师琉璃光如来坛城（以般若佛母为象征）　布本设色唐卡　15世纪　55厘米×46厘米

寿三尊灌顶法会是最受欢迎的公共集会，同样，也经常会有药师八佛的灌顶法会。在这一仪式中，上师筑起坛城，然后召唤药师八佛所象征的转化能量和治疗法力。然后，药师八佛就会来到室内，由上到下重叠在受法者上方，化入光线和治疗能量之中，从上到下，灌入受法者体内，充满其全身，治疗所有身体、情感和精神上的疾病。受法者由此便吸收并获得了所有药师八佛的法力和加持。

圣救度母无上形相坛城　布本设色唐卡　15世纪　37厘米×29厘米

无上瑜伽密续度母坛城

我们在第十一章曾经探讨过有关圣救度母的宗教和艺术传统。尽管度母密续在印度通常仅限于事部，在西藏地区，它却因为很多传承大师的观想体验而得以发扬光大。考虑到藏族人对密宗无上瑜伽部的钟爱以及圣救度母修持在藏地的普及程度，两者相互融合只是时间问题而已。

左页这幅唐卡中的圣救度母正是这两种传统融合后的产物。在这里，她不再是童贞的事部坛城主尊，而是与她的密续明王显激情相拥的双运相。这一特别的度母坛城修持来自于早期的萨迦派喇嘛，至今已有数几百年的历史。最早的有关圣救度母修持的藏语释文就是由萨迦派的萨钦贡噶宁波大师（1092 年—1158 年）所造。

这幅唐卡还有一个特别之处：大多数双运主尊都取的是站在女尊背后面向男尊的透视角度，但是这幅唐卡却正好反了过来，观者位于男尊背后，直接面对女尊，而且男尊的头部微侧，显示出拥吻相。这一姿势在西藏密续属于中被称为cho-lokpa，意为"反位法"，也就是"女上位"的意思。从更标准的透视法来看，由于男性通常比女性体型更为庞大，如果将男性置于靠后的位置（正面向前），女性置于靠前的位置（正面向上）可以让观者更清晰地看到两者。而在这幅画中，为了避免这一问题，有意将女性的体型绘制得比男性更大。

中央主尊是圣救度母与不空成就佛的双运尊。正如我们在第十一章谈到的，圣救度母一般象征着佛行和能量（气）。不空成就佛也象征着同样的品质。因此，双尊体色都为代表能量的绿色。

除这是一曲莲花之外，圣救度母右手还持有一柄钺刀，这是无上瑜伽部金刚空行母的标准法；左手持白色噶巴拉碗，这也同样是金刚空行母的标志性法器；双臂环拥明王，双腿跨骑在明王身上。明王体绿色，比度母的体色略浅，这一区别仅仅只是出于视觉效果的考虑。事实上，他的体色与她完全一样，因为他也同样代表着菩提行；双尊激情拥吻，结金刚坐，意指尽管他们深陷双运大乐之中，却仍然保持着坚定的胜义觉；他们周围是翻卷的红色光焰，象征证悟体验的极度大乐。

双尊正上方是阿弥陀如来，体红色，右边是明妃白衣佛母。白衣佛母右边是不动如来，手持金刚杵和法铃，下方为其明妃玛玛齐佛母。接下来是大日如来，手持法轮和法铃，左边为明妃法界自在母，手持轮柄钺刀和噶巴拉碗。她左边为宝生如来，手持佛珠和法铃。宝生如来上方为其明妃佛眼母。

在这一圈外的方形空间之内，是四位女性侍尊。四座大门前则分别站着四位女性护尊。

唐卡上界绘着释迦牟尼佛、度母及各种传承上师。左上角是嘿噜嘎胜乐金刚，说明这个坛城是圣救度母密续与胜乐金刚密续的结合体；右上角是无量寿佛，与明妃显双运相；右边靠下的是金刚亥母，左边靠下的是怒尊甘露漩，身边都伴随着两位僧侣。

下界右下角坐着一个僧侣，他大概就是最初委造这幅唐卡的人。

怒尊甘露漩双运坛　布本设色唐卡　16世纪　89厘米×77厘米

怒尊甘露漩与白达里空行母坛城

藏地的大威德金刚密法一共有三种不同的法相及相应的坛城修持。在上一章《父母尊中的母尊》，我们看到了其作为怖畏金刚的形相。在这幅唐卡中，他却没有那么忿怒，而是以红色的怒尊甘露漩化身出现，与明妃白达里空行母显双运相。这是基于印度密法经文《怒尊甘露漩》绘制出来的，这一经文共19章，讲述了这一修持的基本法则。

中央主尊是怒尊甘露漩与白达里空行母的双运相。其象征意义类似大威德金刚，男尊象征阻断三种死亡形相的力量。这三种死亡形相分别是：外——早夭；内——情感和认知的扭曲；密——经脉和轮穴的堵塞。女尊为白达里空行母，又称"僵尸金刚"，代表三种负面因素被消除后的重生或复苏。

上界和下界分别坐着一排藏传佛教传承上师；下方标注着他们的名字，清楚地表明了每个人的身份；上界右起第四个是秋吉八思巴，他是13世纪元朝皇帝忽必烈的上师。他的出现表明这幅唐卡属于藏传佛教萨迦派。

这幅唐卡以江孜风格绘制而成，其标志性特征就是以红色为主色调。

中央主尊是怒尊甘露漩与白达里空行母的双运相，206页唐卡细部。

207

第十七章

女性护法

　　第八章《三宝、三根本与三种女佛类型》曾简要地论及过护法。我们谈到，在显法中，佛、法、僧是激发、引导和鼓励精神修持的三宝。在密法中，担任这一功能的则是三根本，也就是上师、主尊和护法及勇父和空行母。三根本中的空行母并不是上一章所谈到的金刚空行母，而更多地类似于一种特殊的护法。

　　我们可以从三个层面来探讨护法的性质：外、内、密。

　　从外这一层面来说，他们是为供奉者提供支持的精神力量——神灵。这是每天向本地护法烧香顶礼的普通藏族牧民或村民对护法的世俗理解。

　　从内这一层面来说，护法代表了修持者的心理状态或原型，以及这种心理状态在个人的精神生活中扮演特定功能的能力。譬如说，在对吉祥天母的礼拜中，就谈到了拥有四佛业之力的吉祥天母及其怒尊护法的作用：

　　　　　四业由来自心生，究竟本来无分别。
　　　　　不著色相亦无形，唯以幻化显佛心。

　　　　　吉祥天母宏光显，昭示一切护法行。
　　　　　成息使息施息力，周匝扈从助息业。
　　　　　体色洁白示息行，除病除障除恶灵。

　　接下来，再次重复上述经文，分别讲述增、摄、伏三佛业，并以黄色、红色和黑色代替"白色"，然后重复最后一句祈祷文。

　　要理解护法在现实生活中的目的和用途，就必须要了解佛经中关于"业"这个概念。佛经中说道，我们从前世带来了无尽的"业因"，决定了这世的无数可能性。为什么有的人轻易就能获得健康、成功、名望、财富、爱情、快乐、家庭，而有的人努力经营却一无所获呢？答案就是，前一种人在通往业果之河的途中只会遇到少数的障碍，而后一种人则会遇到很多。也就是说，从内的层次来看，护法代表开启善业之流和关闭恶业之流的神秘技巧。这一技巧并不是目的，而是创造更有利于精神修持、最终证得菩提的有效途径。在这时，我们就可以抛弃所有俗世的业，代之以大慈悲和四佛业。

从密的层次来看，护法就是坛城力量在四佛业上的神秘体现。和所有与坛城有关的事物一样，这四佛业也是大乐、智慧和不二性性的显现，折射出坛城主尊的品性。

至于三根本，从密的层次来看，第一根本上师，代表的是证悟的实现；第二根本本尊或坛城主尊，代表的是在世间、自己、他人，以及显在的外部现象这一背景之下的证悟体验；第三根本护法则代表的是活动。也就是说，上师是精神（意），主尊是情感（言），护法是身体（身）。而意、言、身则正是四佛业影响世界的工具。四种佛业建立在大慈悲的基础上，以息、增、怀、诛中的任意一种形式显现出来。

我们还谈到，藏族人将护法分成了两种类型：一种是"世间护法"，一种是"出世间护法"。前者未得证果，仍然处于六道轮回之中。后者则已获圆满证果，事实上是某些佛的化身。

每一种密宗法系都有自己的主要护法。这些护法源自印度，从一开始就与特定的密续法系有关。他们通常被看作是某一种坛城主尊的化身，因此被看作是出世间

玛左嘉摩与长寿五姊妹，216页唐卡细部。

护法。也就是说，他们是以忿怒护法形相显现的主尊。譬如，怖畏金刚密续就是以甘露漩护法与明妃来表现，胜乐金刚密续则是以大黑天护法来表现。

将世间护法与出世间护法相结合的传统可以一直追溯到印度和佛祖本人。事实上，这一传统源自显法对皈依三宝的阐释。在显法中，一个人只要皈依佛、法、僧三宝，守戒持律，就可以成为佛徒。譬如，在佛宝的"持律"中就规定了证得佛境为修行的最高目标。在"守戒"中则规定不能继续将礼拜世间神作为终极修持目标，但是可以出于世俗的方便目的继续供奉这些世间神。譬如，你可以向他们祈求得到面包或获得原宥。因此，在2500年的佛教历史中，无论其传播到哪里，都允许而且鼓励人们保留原有的宗教，只要他们将证得佛境视为最高目的就可以了。

最早入藏的印度上师也带来了类似的其他宗教，并将它们传授给自己的门徒。譬如，在古印度，很多早期佛教徒就将四臂象头王俄尼沙作为财富之神来供奉。在本章，我们将看到四臂象头王财神的一幅唐卡，以阐释这一修持如何为密宗所转化。数十个护法就是以这种方式来到西藏的，有的来自印度，有的来自其他国家和地区。譬如，被看作西藏政权护法神和寻找达赖喇嘛转世灵童媒介的白哈尔神王就可能是来自波斯东部的一个本尊，由莲花生大师从其诞生地——古丝绸之路上的贸易中心乌金国引入。藏族人对这一外来的世间护法进行了极大的改造，自1642年五世达赖喇嘛取得统治权以来，这一护法就一直被当作主要的咨询媒介。在每次遭遇重大变故的时候，人们就会通过灵媒与这一主尊沟通，向其咨询意见。白哈尔神王的藏语译音为"白哈儿哲布"，哲布的意思并不是大多数藏族人所认为的王的意思，而是一种凶猛的精灵，早期藏族人将其称为"哲布灵"。

其他的一些世间护法则是在佛教从印度传入之前很久便已存在的萨满神。早期的佛教上师选择了将这些传统中的精华部分与佛教相融合，而不是相抗衡。譬如十二丹玛女神，几乎是迅速就为佛教所接纳。直到今天，这十二女神还时常受到供奉，类似的还有与珠穆朗玛地区五大山峰有关的"长寿五姊妹"。

藏族人尤其喜欢世间护法。佛陀和菩萨可以给予他们终极的关怀，主尊是坛城观想的伟大对象，出世间护法可以保证修持的有效和顺利进行。但是，世间护法却能够给他们的现实生活带来即时的影响，这一点是任何终极的神佛所无法比拟的。

还有一点需要指出的是，与护法神有关的密续修持一般只是次要的修持方法。这一点从召唤方式就可以看出来。在召唤护法神之前，必须要首先观想自己化身为坛城主尊，位于所依坛城之上。此外，在观想时，也不能将这些护法神化入自身，只能将

多杰拉布珍玛的传承上师，正中为莲花生大师，220页唐卡细部。

其观想在自己面前。也就是说，修持者不能把自己观想为护法，而只能将自己观想为主尊，然后再召唤护法来到自己面前，命令他或她去执行保护和服务自己的誓愿。无论是世间护法还是出世间护法都同样如此。

尽管所有藏族人，无论是普通农夫还是高级喇嘛，都非常专注于护法修持，但几乎所有人都对其护法的起源及相关传说不甚了了。如果你去询问十个喇嘛有关护法的任何故事，大概可以得到十个不同的答案。每一个人都知道每个护法的几个常见故事，除此之外，就几乎没有任何共通之处。

当然，也有很多文章试图去探讨不同护法的历史，但是，这些文章基本上都没有对任何历史和神话学方面进行过深入研究，只是一些著名上师的轶事和传奇故事而已。

要区分世间护法和出世间护法，可以参考一种被称为"聚域"的唐卡。在这种唐卡中，某一派别的所有最重要的传承大师、坛城主尊和护法，以及勇父和空行母都被绘制在一棵树上，呈现出一种层级式的装饰效果。一般来说，位于树顶或中心的是该教派的创始人，下面是各种坛城主尊、佛陀和菩萨。四方的天空中则是各种传承大师。我们将在第十八章《女性传承大师》中看到这样一幅与能断派传承和白衣佛母有关的唐卡。一般来说，教派树的最下面一排就是各种修成证果的出世间护法，而那些未修成证果的世间护法则不能位于树上，而是站立在附近的地面上。

在这一章，我们将只使用梵名译名来称呼那些具有明显的印度传承的护法神，譬如：尸林主、独髻佛母、四臂象头王。对于那些起源于西藏地区，或是其印度起源值得怀疑的护法则使用藏语音译。

吉祥天母忿怒仪轨 丝贴唐卡 18世纪 153厘米×81厘米

吉祥天母忿怒仪轨

藏族人在很多不同的材质上绘制唐卡。最简单的一种被称为"香巴"(shing par)，也就是木版印刷；其次是"彩香巴"(tsun shing par)，就是在已经印好蓝图的木板上绘画，有点类似于格子画；然后就是布面水彩，本书的大部分唐卡都属于这一类别。这一类唐卡又分为很多不同的形式，譬如"彩唐"(tsun-tang)，就是用全彩在白色画布上绘制出来的唐卡；"赤唐"(ser-tang)，就是在朱砂底描金的唐卡；"黑唐"(nak-tang)，就是在全黑底上描金的唐卡。除此之外，还有"尖唐"(tsim-tang)，就是用彩色丝线在帆布上绣出来的唐卡。最复杂的一种是"国唐"(gu-tang)，又称丝贴唐卡，是用一片片精心裁剪和缝制的织锦拼贴而成的唐卡。

最后一种"丝贴唐卡"是造价最高的一种唐卡，通常用珍珠和宝石装饰，以显示供奉之所的尊崇。除资财丰富的高级活佛之外，很少有私人能拥有丝贴唐卡，因为一张丝贴唐卡的价格可能是一张手绘唐卡的10到20倍。本幅唐卡就属于这个最珍贵的唐卡类别。

本幅唐卡的主尊是女护法神玛左嘉摩Magzor Gyalmo，即"忿怒仪轨之后"。她是吉祥天母的二十一种主要化身之一，也是与西藏最著名的纳木错圣湖有关的护法神之一。人们通常把玛左嘉摩简称为"玛左玛"，Mag是"战争"的意思，zor是一种忿怒仪轨，意指玛左嘉摩通常在密续仪轨用作"息"力。她与达赖活佛有很深的联系，一世达赖喇嘛曾经将她当作自己的个人护法神，二世达赖喇嘛则把他的法座恰催寺建在她的湖泊下游。事实上，二世达赖喇嘛在成年后仍一直坚持每天诵持其真言一万遍。他是在16岁完成了首次闭关，在此次闭关中，他经历了改变其一生的观想体验和证悟。之后开始进行这一修持，并一直持续到其圆寂之日，历时近50年。

在这幅唐卡中，玛左嘉摩呈极怒相，右手高举金刚杵，左手持噶巴拉碗。金刚杵象征"息"，或忿怒仪轨，因为她可以使用这一法器将所有导致战争的原因摧为灰烬。噶巴拉碗说明她是一个怒尊空行母，将胜义大乐作为自己的主要资粮；座下是一头骡，飞腾在血河之上，象征她可以保护修持者免受生活中的血腥厄运和悲苦；身穿虎皮衣，象征拥有赐予无畏精神的能力；身披人皮披肩，象征她可以救助其被保护者。

在唐卡的底部，是她的两位主要侍从。左边是一个蓝色空行母，赤身，面如海龙，为她擒住缰绳。右边是一个暗红色的空行母，面如雪狮，紧随其后。前者象征着玛左嘉摩与河流和大海中的一切生物都有联系，后者则象征着她控制陆地和高山的能力。两者都以空行母形相显现，说明他们也都有控制空间的能力。这样一来，上、中、下三界都在她们的势力范围之内。

由于吉祥天母与圣湖有关，因此她也通常被用于占卜。占卜方法是使用骰子，在这幅唐卡中我们也可以看到这一工具，悬挂在骡的鼻梁下缠裹占卜手册的布带上。传统的西藏书籍都是活页式手抄本或木版印刷，通常用布条缠裹在一起。

无量寿佛，214页唐卡细部。

四世达剌喇嘛，214页唐卡细部。

任何想要成为吉祥天母玛左玛占卜大师的人都需要举行一次闭关仪式。在仪式中，用作占卜工具的骰子会被安放在神坛上，然后，闭关者将进行长达数月的诵咒和观想，直到骰子自动在神坛上翻转为止。这说明它们获得了玛左玛的加持，可以有效地用作占卜工具。

占卜方式则极其简单。想要占卜的人首先把问题的各种答案编上号，占卜喇嘛就会分别为每个答案掷骰。每次一骰，连掷三次，或每次三骰，只掷一次。然后，占卜喇嘛就会参读占卜手册，判断所选择答案是上、下、还是中。如果答案是中，占卜喇嘛就会推荐一系列的仪轨，作为挽回方法，这就是"忿怒仪轨之后"的由来。

事实上，玛左玛占卜手册就相当于一个密宗仪轨数据库，每一种状况都有几百种仪轨备选。大多数藏族人在生活中每一件大事上都要寻求占卜：和谁结婚？什么时候生孩子？上什么学校？到哪里做生意？什么时候做？等等。

威德吉祥天母

布本设色唐卡 19世纪 94厘米×49厘米

（左页图说）威德吉祥天母蓝色身，呈忿怒相。头戴骷髅冠，呲口獠牙，垂挂人头大璎珞，周身以蛇为胳膊，腰束虎皮裙。右手持金刚杵，左手捧嘎巴拉碗，腰间有拘鬼牌，坐下骡子挂病种口袋和色子，飞跃于万顷血海与雪山白云之上。上界是无量寿佛、四世达赖喇嘛。

玛左嘉摩与长寿五姊妹 布本设色唐卡 17世纪 84厘米×58厘米

玛左嘉摩与长寿五姊妹

尽管玛左嘉摩本人属于出世间护法，但是由于与圣湖的关系，她在来自前佛教时期的萨满传统的护法神中也具有特殊的地位，尤其是那些与圣地有关的护法神。其中最突出的大概就是"次仁玛切雅"（Tseringma Chey Nya），即"长寿五姊妹"了。这五姊妹——扎西次仁玛、停吉希桑玛、米玉洛桑玛、决班震桑玛、达嘎卓桑玛——都与南藏最伟大的神山有关，这些神山全都位于珠峰地区。11世纪的修行者和诗人米勒日巴在珠峰闭关期间，曾经创作过很多与这五座神山和长寿五姊妹有关的赞歌，她们也正是通过这些赞歌获得了所有藏族人的特别爱戴。

这幅唐卡所绘的是玛左嘉摩与长寿五姊妹。玛左嘉摩骑跨在骡背上，飞腾于血海上空。左右分别站着她的两位侍从，一个手执缰绳，一个紧随其后。长寿五姊妹位于下界，驾乘着自己的坐骑：骡、角马、狮子、龙、老虎。

藏族人常到长寿五姊妹的五座神山（包括珠穆朗玛峰）朝圣，其目的并不是为了超越极限或是测量峰顶的高度，而是到那里观想祈福，增强、治愈和复苏他们的生命能量。在这五座神山中的任何一座举行长寿五姊妹祈祷仪轨将可以获得特别的加持。"珠穆朗玛"本身就是五姊妹之首的扎西次仁玛（中间白肤者）的别称。珠穆朗玛是最重要的一座神山，排在第二位的则是希夏邦马峰。

这五姊妹及其所代表的神山还是藏地最主要的草药采集地，在古老的藏医药传统中占有重要的地位。一般而言，草药所生长的高度对其治疗功效也有着影响，藏医一般在4500到6000米乃至更高的地方采集药材。来自这五座神山的药材尤其珍贵，不仅药效卓越，而且还获得了长寿五姊妹的加持。这五座神山位于西藏地区与尼泊尔交

中间是一世班禅，左边是五世达剌喇嘛，右边是二世班禅，216页唐卡细部。

界处，南北坡的气候和生长条件迥然不同，可以说是高山草药医生的天堂。

长寿五姊妹还与身体的五大轮穴区有关。这五大轮穴是：顶轮、喉轮、心轮、腹轮（包括肝、胃、胰腺、脾等等）和根轮。她们通常以五种颜色示现，手持代表五部的法器。

主尊上界是五位传承上师。他们是17世纪西藏宗教复兴时期的杰出人物。其中最重要的一位就是五世达赖喇嘛（左起第四位），他是首位宗教和世俗领袖。他右边坐着的是班禅罗桑益西，五世达赖喇嘛的主要精神继承人。他是五世班禅喇嘛、六世达赖以及七世达赖的上师。

一世班禅及其弟子五世达赖都曾经撰写过长寿五姊妹导修仪轨。除此之外，二世班禅本人还曾经在珠峰地区的山洞中观想修炼，同时也将自己的很多弟子送到这里长期闭关。长寿五姊妹的修持传统也正是在这一时期大举进入格鲁派的。直至现在，长寿五姊妹修持在珠峰地区有学识的人群中仍然非常盛行。五世班禅的弟子嘉钦益西加森就曾经被送到珠峰闭关12年，后来获得证悟，成为了18世纪后期最伟大的格鲁派大师。

在五世达赖时期，长寿五姊妹修持拥有崇高的地位。在政府所赞助的一系列年度法会之中，就包括长寿五姊妹法会。

班禅罗桑益西，216页唐卡细部。

五世班禅喇嘛，216页唐卡细部。

（下页图说）

多杰拉布珍玛

布本设色唐卡　18世纪

90厘米×64厘米

多杰拉布珍玛的侍从，
220页唐卡细部。

多杰拉布珍玛

多杰拉布珍玛（Dorjey Rabtenma）同样也是吉祥天母的二十一形相之一。她与玛左嘉摩在很多地方都很类似，同样也有两名侍从。事实上，吉祥天母的所有二十一形相都有很多共通之处。所不同的在于她们手上的法器，象征着她们各自特有的功能。颜色也各不相同，象征着四种佛业的不同应用。

多杰拉布珍玛是茶色的，说明她属于"摄"这一佛业靠上一部分，也就是说，她是"摄"与"伏"的集合。右手持火剑，说明她是智慧的化身，因为剑可以切断我执和二心；左手抚弄着一只猫鼬，后者浑身散发出五彩珠光，象征着她拥有带来福禄的特殊功能。

在她的脐轮位置，有一颗光芒四射的太阳，再次说明她主要与智慧（作为方便的对应）有关。不过，她也并没有抛弃方便，在她头上就戴着一个月亮形的发饰。

这两个象征说明她还有一个特殊功能，那就是无上瑜伽修持者的护法神。脐轮处的太阳代表了卵子（女性能量），顶轮处的月亮则代表了精子（男性能量）。两者在观想中的结合就是修行的主要目标。

多杰拉布珍玛是夏鲁寺和《丹珠尔大藏经》的编纂者12世纪的布顿仁钦朱大师（1290年—1364年）的主要护法神。由于布顿仁钦朱在藏传佛教所有教派都有深远影响，多杰拉布珍玛也因此而更加盛行。在这幅唐卡的左上角，我们可以看到布顿仁钦朱，头戴标志性的黄色僧帽。位于上界正中的大概是莲花生大师，以佛学者的形相出现。据说，莲花生大师曾经朝拜过与吉祥天母有关的所有圣地，其中包括圣湖纳木错。

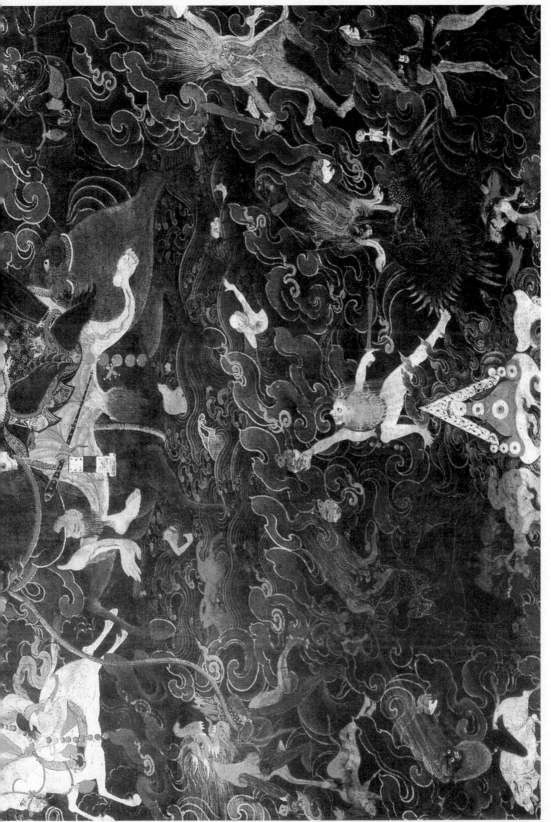

尸林主双运尊　布本设色唐卡　15世纪　47厘米×36厘米

尸林主

此双运尊在藏语中被称为"寒林双尊"，是与金刚瑜伽母密续有关的主要护法神。他们在那洛卡居空行母传承中尤其盛行。事实上，在本书前几章的一幅金刚瑜伽母唐卡中，我们就曾经见过他们。

正如我们在《胜乐金刚坛城》一节所谈到的，寒林修持是胜乐法系的印度大法师常见的修持法门之一。此尊奇异的双运护法神就源于这一传统。

然而，寒林双尊并不只是唐卡中的造像而已，他们还是西藏表演艺术中常见的人物，同时也是中亚地区寺庙所举行的年度恰木（跳神舞会）上的主要节目之一。恰木舞会一般为时一整天，有时甚至从早到晚延续四到五天。两个身着骷髅服饰的舞者出现在台上总是会令观众精神为之一振。他们所跳的舞蹈并不是自由创作的，而是严格基于金刚瑜伽母上师的观想体验。

左页这幅唐卡中的寒林双尊在一座由人骨搭成的凉亭内舞蹈，形相几乎一模一样，所以很难判断谁为女尊，谁为男尊。唯一的标志是，有的时候男尊是站在海螺上，而女尊则站在玛瑙贝上。两尊右手都持有一根骷髅杖，象征所有障碍都将被摧为尘土；左手都持噶巴拉碗，象征他们能提供大乐智慧的滋养；下界左右两角分别绘着寒林中老虎和秃鹫吞噬尸体的场景。

双尊耳边的虹光丝扇非常重要，象征着金刚瑜伽母密续最著名的虹光身修持法，通过这一方法，修持者可以掌握将身体的五种元素转变为虹光能量的技巧。西藏艺术中很多与飞升有关的场景都是基于这一修持创作出来的。

尸林主　布本设色唐卡　19世纪　74厘米×35.5厘米

（右页图说）尸陀林主是一男一女双尊的白骷髅体，均头戴五骷髅冠，系彩带，束短裙，右手持骷髅杖，左手持盛满鲜血的嘎巴拉碗。男、女尊各屈一足，以单足立于莲台上，安住于般若烈焰之中，身后有骷髅骨堆砌的宫殿。天界居中为胜乐金刚，左边为格鲁派的三位祖师，右边为玛吉拉准空行母。周匝绘寒林的恐怖景象。

独髻佛母

独髻佛母是印度常见的事部主尊，通常与圣救度母和具光佛母一起，呈长寿三尊相。事实上，我们已经在《长寿三尊》的白度母唐卡下界看到过这一三尊相，我们还引用了一世达赖为圣救度母所造的《妙绘赞》中有关这三尊的赞呗。这种将事部主尊组成三尊相的做法盛行于整个藏区，是西藏艺术中的一种常见特色。

在与圣救度母和具光佛母作为三尊显现时，具光佛母代表的是白天的密续体验，而独髻佛母则代表的是夜间的体验。圣救度母所代表的则是贯穿白天黑夜的佛业体现。

然而，在西藏，独髻佛母更多的是作为护法神，而不是事部主尊。她常与男护法神罗睺罗共同出现，罗睺罗代表白天的日食，独髻佛母则代表夜间的月食。密法修持者将所有自然现象都看作是额外的修持体验，这两种日相和月相也因此而具有特别重要的精神意义。日食和月食通常被看作是具有特殊魔力的时刻。

在这幅唐卡中，独髻佛母被绘制成了黑色，只有一只眼睛（位于正中）、一只乳房、一颗白色的长牙，咬住下唇。黄色的头发向上飘飞，如同火焰一般，在末梢缠绕成一根独辫。右手上举，结威慑印，食指上举，射出一匹狼；狼嚎象征夜晚，她所象征的月食能量也同样如此；她手中挥舞着尸杖，象征那些知道如何正确运用月食能量，轻松地在一世即修成证果的人；左手持暗红色人心，举至嘴边，象征她可以从震慑普通人的力量中获取滋养。在这幅画中，她的手和手捧的心脏遮住了她的独乳。

藏传佛教所有教派都修持独髻佛母密法，但她却是宁玛派伏藏传承的主要护法神，因此也最受到宁玛派喇嘛的关注。

独髻佛母

布本设色唐卡 19世纪 70厘米×47厘米

四臂象头王财神与五空行母　布本设色唐卡　19世纪　29厘米×22厘米

四臂象头王财神与五空行母

　　藏传佛教谱系中最特立独行的一个造像就是四臂象头王财神（Rakta Ganapati）与他的五个空行母。在这里，四臂象头王财神（"甘奈施"的别称）被一个黑色、赤身的猴头空行母高高举起，她一边为他口交，一边将经血全部滴在噶巴拉碗中。与此同时，四方分别有四个赤身的红色空行母，同样用噶巴拉碗盛装经血。

　　与嘿噜嘎胜乐金刚有关的密宗法系有点类似与湿婆《往世书》有关的印度密法。四臂象头王财神是湿婆之子，因此也就是《往世书》的代言人。他还是古印度佛教胜乐密续的重要护法，后来盛行于藏传佛教各教派，为修持胜乐坛城的人提供保护和支持。

　　大约从 13 世纪开始，宁玛派开始出现"伏藏显现"现象。这些伏藏大多是对传统宁玛传承的再加工，并最终导致了"长传承"和"短传承"的区别，前者是指7至11世纪从印度传入的早期传承，后者是指再加工过后的伏藏传承。不过，并不是所有的伏藏都是对早期宁玛传承的改造。很多伏藏同时也收入了旧译派的传统，因此也包括了一些宁玛派原来所不存在的教义。那洛巴六瑜伽伏藏就是其中一例。

　　同样，"四臂象头王财神与经血空行母"也极有可能是一个集合了噶当派的四臂象头王财神传承的伏藏。然而，与噶当派的四臂象头王财神形相相比，宁玛伏藏在性的尺度上无疑要大胆许多。

　　根据标准的密续隐喻来解释，这幅奇异绘画的象征意义应该是：代表智慧的女性饮用代表大乐能量的男精。这两种物质——大乐和智慧（分别以精子和卵子表示）——经由胜义觉的身体（女性的子宫），作为高潮体验的血液，流入颅器之中。

红色空行母，分别位于226页唐卡右上、右下角。

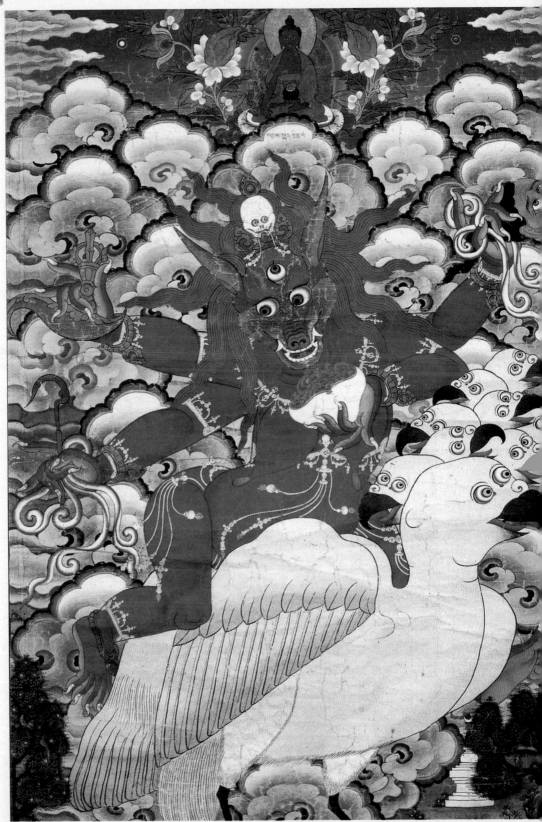

（左页图说）

红舌空行母后

布本设色唐卡　19世纪　91厘米×142厘米

红舌空行母后

　　这尊空行母护法是与藏医药有关的世间护法——贡布香农的八位供养天女之一。她长着狼首、红舌，喻指早期藏医在偏远地区采集草药的过程。藏医药体系中将疾病分为了八种类别，同时也将药分为了八味。人生病的时候，舌头就会发出讯号，说明需要哪一味药。这些味道代表某种具有治疗功效的特殊营养物质。健康人尝起来觉得味道糟糕的天然草药对患了相应病症的人却会甘之如饴。

　　根据这一理论，所有药物都源自拥有敏感舌头，能够将八种不同的疾病、八种不同的味道与这些味道的数万种来源建立起联系的人。通过不断的试验和失败，他们将所有不同的疾病和治疗所需的不同味道，譬如草药、花朵、根茎、树、矿物质等等都归了类。

　　母狼就具有这种利用舌头自疗的能力。狼在受伤之后，通常会在山间四处逡巡，通过自己对某些特殊气味的需求寻找含有治疗功效的物质。她会独自在偏僻的山间行走寻找，咀嚼正确的治疗物质。

　　在这里，狼首红舌的世间空行母所象征的就是这种天然的治疗能力。她座下是一只白色的九头鸟，象征九大知识体系。

　　上界正中坐着的是药师佛。我们曾经在上一章《女佛及其坛城》中看到过他的坛城，不过该幅唐卡的主尊是"诸佛之母"般若佛母。在这幅唐卡中，药师佛右手执传说中的医疗之树龙树的树枝，左手持钵，里面盛着龙树的果实。

药师佛，228页唐卡细部。

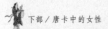

（左页图说）

红色怖畏空行母后

布本设色唐卡

19世纪 90厘米×142厘米

九头男尸，230页唐卡细部。

红色怖畏空行母后

　　和上一幅唐卡一样，这幅唐卡所绘制的也同样是与藏医药有关的世间护法——贡布香农的八位供养天女之一。这幅唐卡中的空行母后呈现出怒相——怖畏相。座下是一个九头男尸，同样象征九大知识体系。女性读者大概会特别喜欢看到这样的画面。上一幅唐卡中的狼首在这里变成了主尊发冠上的装饰物。

　　如果说上一幅唐卡表现的是医疗技术与我们自己的感知能力及外在世界的各种元素之间的和谐的话，这一幅唐卡所表现的却是藏医药的另一个重要领域，这就是知识的训练。从主尊右手所持的智慧之剑和左手的三叉戟就可以看得出来（三叉戟象征将三身佛的智慧集于一体）。

　　藏医药体系中的知识传统与宇宙学及天文学有关。每一种草药、根茎和其他有机的治疗物质只有在其完全发育完好的时候采集才会有最好的药效。这些时间不是由公历来确定的，而是通过观察某些特殊的卫星、行星及其他天体的位置确定出来的。

　　天界正中坐着的是德西桑吉嘉措（1653年—1705年），他是一位研究藏传佛教宇宙学及天文学的重要学者，同时也是17世纪后期的西藏宗教复兴运动的重要成员。他还是五世达赖喇嘛晚年的摄政王。事实上，他就是负责寻找六世达赖灵童并帮助其即位的人。

　　德西桑吉嘉措还撰写了与藏医药有关的很多书籍。直到今天，他的书籍仍然是学习藏医的必读书籍。

金刚玉卓女

正如我们在本章导言中所说，在2500年的佛教历史中，无论其传播到哪里，都会与当时当地的传统相结合。在古西藏，最著名的传统大概就是召唤各种神灵的萨满传统了。

在古西藏，神灵召唤术是一种母传女的巫术。精于此道的人通常会受到很高的礼遇，上至高贵的喇嘛，下至普通的村民，都会向她们寻求咨询。在降神会上，灵媒通常会身着所要召唤的主尊的服装，胸前悬挂着一面镜子，以便主尊由此进入她的身体。家族中的僧侣或萨满同时诵念咒文，几分钟后，灵媒会突然跳起来，进入一种附体状态，大声唱念歌谣。

在导言中，我们还谈到了佛教入藏前的丹玛久妮，也就是与十二个圣地有关的"十二丹玛女神"。这十二位女神很快被早期佛教大师所接纳。据说，莲花生大师亲自征服了这十二女神，并要求她们立誓成为佛法护持者。

尽管十二丹玛的地位相当，但金刚玉卓女（Lhamo Dorjey Yudonma）却是里面相对最为特殊的一个，在15世纪时甚至成为了举堆寺（上密院）的特别护法神。举堆寺是推选格鲁派传承的领导者噶丹崔巴（王位持有者）仁波切的两座寺庙之一，金刚玉卓女也因此而有着举足轻重的地位。不过，实际的灵媒仍然是母女传承。

在画中，金刚玉卓女被绘成白色，年轻貌美，显静谧相。右手持装饰着镜子和五色经幡的长寿箭，箭象征着智慧的法力，五色经幡象征身体五种元素的均衡与和谐。她左手持镜，象征她通过镜子召唤的神使功能。

座下为一头驯鹿，位于四方的侍从座下则为马。上界正中绘着的是怒相金刚手菩萨，大概是在喻指金刚玉卓女保护和协助佛法修持者的誓愿，以及她与象征法力的怒相金刚手菩萨一起成为佛教护法神。

（左页图说）

金刚玉卓女

布本设色唐卡 19世纪

36厘米×25厘米

祥寿佛母扎西次仁玛

在本章刚开始，我们曾经看到过一幅吉祥天母的玛左嘉摩形相唐卡，下界绘着长寿五姊妹。在该幅唐卡中，她们只是作为支持玛左嘉摩的辅助造像出现，而且是以黑底描金手法绘制而成，色彩若有若无。这种黑底描金唐卡常用于怒尊（伏业）绘像，这也正是玛左嘉摩所属的类别。

不过，长寿五姊妹却是属于息部的护法。因此一般并不以黑唐，而是以明亮的五色彩唐来表现，着力展示她们的年轻和美貌。

这幅唐卡中的长寿五姊妹就属于第二种风格。祥寿佛母扎西次仁玛在五姊妹中居于首位，因此也处于主尊的位置，其余四姊妹分别位于四方。扎西次仁玛体色洁白，右手金色持金刚杵，左手持金色甘露瓶。面相年轻，衣装优美，全身金色装饰，座下为白色雪狮。

其余四姊妹分别是：左上角的停吉希桑玛，座下为野驴；右上角的米玉洛桑玛，座下为幼狮；左下角的达嘎卓桑玛，座下为蓝龙；右下角的决班震桑玛，座下为驯鹿。下界正中坐着的是引路护法神多闻天王，右手持凯旋旗，左手持代表财富的猫鼬。

我们曾经提到过五姊妹与中印交界处珠峰地区的五座神山的关系。据传说，莲花生大师最早就是通过珠穆朗玛地区进藏的。在翻过珠穆朗玛东坡，沿着北部山脊下山的途中，他发现了一个巨大的山洞。于是便停留洞中，冥想数日，从此以后，这个山洞就成了珠峰朝圣途中的重要地标。山洞附近没有现成的水源，于是莲花生大师就踢开了一片山壁，一眼泉水马上喷涌而出。今天前往珠峰北坡朝圣的人仍然会饮用这眼泉水，以求获得赐福。后来，天性淘气的长寿五姊妹出现在大师面前，试图引诱他分神。大师马上显出怒相，要求她们发誓永远护持佛法，就此将她们变成了佛教护法神。

400年后，米勒日巴在这一地区修行。五姊妹注意到了他，想要考验他的定力。于是幻化为各种魅影，对其施以引诱。然而，无论她们如何努力，最终都未能成功。她们谦卑地显出原形，要求获得他的加持。后来，她们又再次回来，要求米勒日巴教授拙火心法，并得到了他的同意。第三次，她们又找到他，请求他传授大手印和无上瑜伽技法。

米勒日巴是噶举派十二分支的重要创始者之一，长寿五姊妹与他的这三次会面也因此而使得她们在噶举派历史和修持中拥有了一个特殊的地位。与她们有关的祈祷活动也因此而拓展到了藏传佛教所有教派。

（左页图说）

祥寿佛母扎西次仁玛

布本设色唐卡　19世纪　47厘米×29厘米

第十八章

女性传承上师

我们在第八章《三宝、三根本与三种女佛类型》曾谈到，西藏神秘艺术主要颂扬的是三种女性：过去和现在的传承上师；本尊，或者说坛城主尊；护法。其中第一根本的重要之处在于：没有她们，就不会有第二和第三根本的法系传承；第二根本的重要之处则在于：她们事实上是密续修持的精华所在；第三根本的重要之处则在于：它能为获得前两种根本提供支持。

在显法中，男性或许具有至高无上的地位，而在密法中，女性则有着更大的优势。尤其是在早期，密宗尚在印度的时期。很多密续法系，譬如大威德密续，都是佛祖在女性的特别要求下传授的。除此之外，很多古典时期的传承（公元8世纪—12世纪）都是基于对女性本尊和空行母的观想所见。譬如，在《金刚空行母》一章，我们就曾经讲到过毗卢婆对无我佛母的观想所见。同样，在这一章，我们还讲到，以"那洛巴空行母"形相示现的金刚亥母唐卡也是基于女性观想；在《女佛及其坛城》一章中的噶玛噶举派金刚亥母坛城则是基于由印度大师刚塔帕达的金刚亥母观想，后来又在帝罗巴的类似观想基础上做出了改变。

此外，很多进入西藏的传承法系都是基于印度女性大师的观想和教义。在本章，我们将重点关注其中几位。第一位是比丘尼拉克须米，生活在大约公元8世纪—11世纪。她的年度16日斋戒修持传承在七世达赖喇嘛的推动下，已经成为了藏地最为普及的一项法事之一。此外还有11世纪的女修行者尼古玛，她的"六瑜伽法"至今仍为藏传佛教诸派所保存。我们还收录了三张描绘印度大成就者及其女弟子的唐卡，他们全都是西藏艺术和文学作品中的常见人物。

至于来自西藏地区的女神秘主义者，我们在本书中只讲到了其中最著名的两位——8世纪的耶喜措嘉，据说是首位即世成佛的藏族女性；以及12世纪的的女修行者玛姬拉尊，我们在《金刚空行母》一章中曾经看见过她，其时她是以白衣瑜伽母的形相出现。由于篇幅所限，我们将只论及这么少数几位传承上师。

对西藏的女性展开更透彻的研究是一件很有趣的事情。西藏文学中就有数以千计这样的女性形象。譬如，萨迦派就有数十位女性拥有和萨迦天钦（法王）同等的成就。这些杰出女性的称号是"萨迦杰尊玛"，杰尊玛就相当于男性的杰尊，这一称呼仅用于那些具有极高成就的密法修行者。萨迦杰尊玛自小就接受萨迦派的各种宗教训练。

同样，宁玛派也有很多被称为"杰尊加朵拉"的女密法修持者，即"大成就空行母"的意思。空行母在这里是指女性密法高人或圣人。噶举派和格鲁派的能断派传承（来自玛姬拉尊）也有无数这样的大成就空行母。数年前，格鲁派的一位著名杰尊加朵拉在西藏圆寂，享年80有余。

西藏还保持了好几种女图库（tulku，俗称活佛）传承。格鲁派的多杰帕嫫图库杰尊玛或许就是其中最著名的一个，被视为整个西藏地位最高的三大喇嘛之一，其余三位分别是班禅喇嘛和萨迦天钦。很多大一点的觉姆寺都有一个活佛，很多世俗的静修所也同样如此。

譬如，二世达赖喇嘛的母亲就是这样一位活佛。在他的自传（写于1528年前后）中，二世达赖曾经这样写道，"我父亲在45岁那年娶了我母亲，她的名字是贡噶帕嫫，她是一位获得正式认可的活佛，早年曾是嘉华格桑大师的弟子，是著名的多旺藏嫫加朵拉空行母。"二世达赖还写道："自童年时代起，我的母亲就记得她的很多前世。在极年轻时候，她就已经在三大主要的无上瑜伽法系——密集金刚、大威德金刚、嘿噜嘎胜乐金刚密续——上获得了极高的成就，同时也拥有很深的药师佛坛城修为……我很荣幸能够经由这样一位大成就者的子宫来到这个世界。"

刚塔帕达及其明妃，246页唐卡细部。

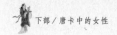
比丘尼拉克须米

　　密宗的大多数女性大师都是俗家修行者，很少有出家人。比丘尼拉克须米（Bhikshuni Lakshmi）则是一个例外。比丘尼是佛家全职尼姑的正式称呼。奇怪的是，在10世纪的动乱之后，西藏地区的比丘尼传承就完全消失，从此再也没有恢复。从那以后，藏地的所有尼姑都被称为"沙弥尼"。两者之间的唯一的区别是前者有着更多的次级戒律，而且只能由成人担任；而后者则可以在幼年就入册。两者都有需要四戒：戒杀生、戒偷盗、戒饮酒、戒失身。

　　根据比丘尼拉克须米的藏文传记记载，她出生于10世纪的印度皇室。在年幼时，她就主动要求委身寺庙，她的父母同意了这一请求并为她赐福。因此，自早年开始，她就得以学习显法和密法传统。在20来岁的时候，她身患麻疯病，于是决定离群索居，以免传染给他人。她在森林边修建了一个静修所，在这里冥想禅修。有一天晚上，她梦见了大成就者因扎菩提（Indrabhuti），后者建议她修习观世音菩萨，并进行斋戒。于是，她将居所搬到了附近一个与观世音菩萨有关的灵量场，开始修持观世音菩萨。一年之内，她的麻疯病不治而愈。大约五年过后，她就获得了证悟。此后，她将余生都投入在了教授和修炼佛法之上。

比丘尼拉克须米，239页唐卡细部。

观世音菩萨

布本设色唐卡　18世纪

135厘米×91厘米

　　（右页图说）这是用于比丘尼拉克须米斋戒修持的观世音形相。在右上角的一组传承大师顶部，还有她的一个简易形相。

文殊菩萨，241页唐卡细部。

有关她的传奇故事可以说数不胜数。譬如，有一天，她来到一座城镇，当街跳起怒尊金刚瑜伽母法舞。在舞蹈过程中，她取出一把空行母钺刀，砍掉自己的头颅，继续跳舞。法事结束之后，她重新捡回头颅，将其放回身体，平静地离开集市。

目前，藏传佛教所有教派都在修习她的观世音菩萨观想和斋戒传承。这一传承在西藏平民中尤为盛行。很多人都是在每年的藏历四月，也就是释迦圣月的前16天举行斋戒。斋戒仪式以"双日"一组举行。第一天，修持者应戒绝一切饮食，甚至包括自己的唾液。同时还要伴随诵咒、观想以及很多等身长头。第二天中午可以进一点饮食，同时也可以给补充一点流体食物。修持者自行决定想要进行多少组，完整的释迦圣月斋戒应该是八组，也就是16天。也有的藏族人在每月的满月之日进行一次斋戒，每次一组。

上页这幅唐卡所绘制的就正是斋戒所使用的观世音菩萨形相。这是一幅"聚域"唐卡，绘制的是整个传承的所有主要大师。比丘尼拉克须米位于右上角的一群大师顶端，代表这是从她开创的口头传承。右上角一组顶端是观世音菩萨的简易形相，代表早期的观世音菩萨密续传承，比丘尼拉克须米正是从这一传承得到了观中所见。主尊脚下左右两侧站立着的分别是文殊菩萨和金刚手菩萨。这三尊菩萨在一起代表了证悟的三种基本特质：慈悲、智慧和信愿，意指修习比丘尼拉克须米的斋戒瑜伽可以获得以这三种特质为特征的证悟。

藏族人认为，尽管比丘尼拉克须米的外表是一个佛家尼姑，她的内在秉性却是圣救度母，密续根本则是金刚亥母。

千臂观世音菩萨

布本设色唐卡　19世纪　135厘米×57厘米

（右页图说）观世音菩萨为比丘拉克须米的观想对象。此幅唐卡中，观世音菩萨十一面，前方三面呈慈悲相，代表宝部；左方三面呈嗔怒相，代表金刚相；右方三面亦呈慈悲相，代表莲花部；后方一面呈忿怒相，代表摩羯部；顶部一面为阿弥陀佛，呈寂静相，代表佛部。胸前双手合十，身披璎珞，立于莲花台上。上界绘有白度母、绿度母、大黑天护法神、欢喜佛；中间左右各绘有侍卫菩萨若干；下界绘有文殊菩萨、四臂观世音、忿怒手持金刚菩萨、驮宝白象、驮宝黄骡、天女、天鹿等。

尼古玛

　　11世纪的印度大成就者那洛巴对藏传佛教影响巨大，他的好几个传承最后都进入了雪域高原。我们之前曾经谈到过玛尔巴译师如何在那洛巴传承的基础上创立了噶举派，以及那洛巴的金刚瑜伽母教义如何通过尼泊尔的帕丁巴兄弟进入了萨迦派。那洛巴的其他传承，譬如时轮金刚传承，则通过其他各种途径进入了藏地。

　　那洛巴有一个出色的女弟子，这就是来自印度的尼古玛。她曾按照那洛巴的指引在印度北部的丛林中进行过深入的修持，最终获得证悟。藏族人对她的了解来自于一种特别的"六续瑜伽法"，由她的西藏弟子瑜伽士琼波那爵（Khyungpo Naljor）传入。刚开始，只有一个叫做香巴噶举的小教派修习这种密法，后来逐渐为其他教派所吸收，并最终分化消失。

　　不过，尼古玛的传承却在西藏地区盛行了数百年。二世达赖曾撰写过与之有关的两本注疏，将他从其父亲(香巴噶举派一个分支教派的首领)那里获得的传承与格鲁派的口头阐释集合在了一起。

　　在注疏中，二世达赖讲述了琼波那爵云游到印度寻求证果的故事，他一听到尼古玛的名字，便马上知道她就是他的根本上师。他向人打听如何才能找到她，得到的答案是："只要心意纯净，就可以在任何地方碰到她。而如果心意不纯净，就算她站在眼前，你也看不见，因为她居住在净土界，已经修得了虹光身。不过，她经常出现在大寒林的空行母盛会上，参加密乘盛宴。"

　　琼波那爵于是就去了大寒林，等待尼古玛的到来。刹那间，她突然出现在眼前，全身仅着骨饰，开始狂野地舞蹈。他伏拜在地，恳请获得她的传承，并向她供奉了500单位的金粉。她收下了供奉，但是却继续舞蹈，将金粉撒遍了整个寒林。最后，她终于给他灌顶，向他传授了六续瑜伽法，并

作舞姿金刚瑜伽母形相的尼古玛，243页唐卡细部。

（右页图说）
尼古玛嘿噜嘎胜乐传承
布本设色唐卡　19世纪
57厘米×36厘米

指导他修行，直至最终获得证悟。

有一次，当他问她请教教义精华时，她回答说：

世间俗义一切事，全因爱恶生颜色。

堪破本真皆空相，目中所见尽黄金。

观诸幻景悟幻性，方可证得幻菩提。

这幅唐卡所绘的是香巴噶举派的所有主要密续主尊（全部来自尼古玛传授给琼波那爵的密法），一共五位：正中是嘿噜嘎胜乐金刚，与金刚亥母显双运相；左上角是欢喜金刚，与无我佛母显双运相；右上角是摩诃摩耶，与金刚空行母显双运相；左下角是密集金刚，与触摸金刚母显双运相；右下角是大威德金刚，与白达里空行母显双运相。上界下方还有一红一白两名瑜伽女，红色的是象征尼古玛的金刚瑜伽母，白色的是象征苏卡悉地的悉地瑜伽母。下界是香巴噶举派的主要护法神。

萨惹哈及其根本上师

这位印度大成就者或许算得上密宗历史上最重要的一位人物。事实上，西藏历史学家多罗那他（Taranatha）把他看作是无上瑜伽密续的首位编撰者。

另一个不太为人所知的事实却是，萨惹哈（Saraha）的根本上师是一位女性。在这幅唐卡中，她被绘制成了他手中所持的箭。他的名字"Saraha"也正是来源于她的种姓，意为"造箭者"。

据传说，萨惹哈原来的名字是罗睺罗（Rahula，印度高级种姓——编者注），早年曾修习印度教，最后却成为了佛教僧侣。有一天，一些年轻妇女引诱他与她们一起饮酒。在喝醉之后，他进入了一种大乐的幻像之中，这一幻像指示他去寻找一位女性造箭者，向她寻求佛法。他来到了集市，看到她正在造箭。于是他马上就意识到她就是自己的根本上师，于是请求她收自己为弟子。从此以后，师徒二人共同生活、游历和修持佛法，在她的指引下，他终于获得证悟。在西藏绘画中，她有时被绘作萨惹哈手中的一柄箭，有时则被绘作他上界空中的一个坦胸瑜伽女，双手持箭。

萨惹哈身边坐着的一男一女或许是他的两名弟子，他曾经为他们撰写过两首重要的证道歌，名为《萨惹哈盛歌》。这些证道歌至今还被用作密宗大手印传统的基础。在歌中，萨惹哈这样写道：

你可以在室内点起无数盏明灯，

而盲眼的人却仍然身处黑暗，

同样，世界的本真无处不在，

近在眼前，蒙昧者却睁眼不见。

萨惹哈及其根本上师 布本设色唐卡 19世纪 46厘米×30厘米

刚塔帕达及其明妃

在前几章，我们曾多次提到印度大成就者刚塔帕达（Ghantapada），他是嘿噜嘎胜乐金刚传承中的一位重要人物，以"刚塔帕达五尊坛城"及由此派生的"金刚亥母五尊灌顶开示"而闻名。

刚塔帕达曾师从过无数大师，但是其中最重要的却是一位女修行者——钦塔瑜伽女。她是一位低卑的妇女，以牧猪为生。刚塔帕达正是通过她的教导和指引获得了证悟。

这幅唐卡所讲述的就是与刚塔帕达的生平有关的一个著名传说。在向他传授修持方法之后，钦塔瑜伽女将刚塔帕达送去闭关。他在森林中住了很多年，最后在他的禅修所中与当地一个妓女的女儿媾和。由于两人纵情饮酒作乐，很快就变得声名狼藉。

当地的国王对刚塔帕达的行为大为恼怒，他为很多禅修者闭关提供了资助，因此觉得自己受到了欺骗。他来到森林，想要惩罚刚塔帕达。当国王到达他的禅修所，想要历数他的罪状时，刚塔帕达却当着国王的面与妓女之女行和合双运，最后飞升至空中。国王恼羞成怒，打翻了刚塔帕达的酒罐。酒从罐中源源不断地流出，将整个王国都淹没在一片汪洋之中。从图中可以看到国王和他的大臣，房屋从他们身边漂过，白肤者是大慈大悲观世音菩萨，他伸出手，阻住了洪水（酒）的泛滥。

刚塔帕达的名字也来源于他的明妃。在上面的故事中，她最后变成了一个法铃，象征女性的能量和空性智慧。"刚塔"一词的意思就是"铃"。

月轮中的菩萨像，246页唐卡细部。

（左页图说）

刚塔帕达及其明妃

布本设色唐卡　19世纪

53厘米×39厘米

东碧嘿噜嘎及其明妃

在西藏经文中，印度大成就者东碧嘿噜嘎被看作是毗卢婆的两大弟子之一。我们在前几章谈到萨迦传承的主要上师时，曾经谈到过毗卢婆。第十五章《金刚空行母》曾经收录过一张来自毗卢婆无我佛母观想体验的唐卡。毗卢婆的另一个重要弟子是坎哈，之前我们已经讲过，他是藏地三大嘿噜嘎胜乐金刚传承的上师之一。

毗卢婆将东碧嘿噜嘎和坎哈安置在森林中，与她们的明妃一起闭关修炼。两人都获得了证悟，并成为大乐双运密法的重要作者。

作为传承大师而言，东碧嘿噜嘎不如师兄坎哈重要，但是在西藏神秘艺术中，他却拥有更加重要的地位。他与明妃驯化了一头野生老虎，经常裸身骑着它前去接受赈济。

在这幅唐卡中，他们就坐在这头老虎背上。他右手持毒蛇，象征征服自然世界的法力；她手执盛满大乐甘露（事实上是酒）的噶巴拉碗。两者眼光交缠，脉脉对视，完全不顾身边风景如画的林中景致——前面的草地上飞鸟求偶，背后的湖泊中还有鸳鸯戏水。

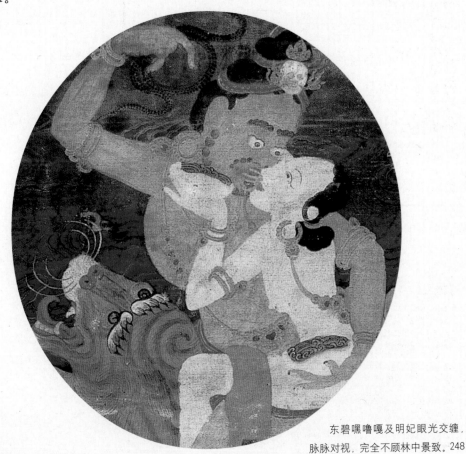

东碧嘿噜嘎及明妃眼光交缠，脉脉对视，完全不顾林中景致。248页唐卡细部。

（左页图说）

东碧嘿噜嘎及其明妃

布本设色唐卡 19世纪 46厘米×30厘米

耶喜措嘉，251页唐卡细部。

耶喜措嘉

8世纪的女修行者耶喜措嘉可以说是西藏历史上最著名的女性。她在现代社会的影响力丝毫不亚于1300年前——只要在互联网上输入她的名字（Yeshe Tsogyal），马上就可以得到上万个搜索结果。

耶喜措嘉是印度大师莲花生大士的首席弟子。后者曾被藏王赤松德赞延请到西藏，宣扬密法，协助建立西藏的首座寺院。我们在前几章的唐卡中曾多次看到过他，由于被看作是宁玛派最重要的创始人，因此常常被绘制在宁玛派唐卡的上界正中。

其实，莲花生大师在西藏所取得的成功在很大程度上都应该归功于耶喜措嘉。在莲花生大师离开雪域高原之后，他的工作就全部由她继承。她撰写了他的传记，让他得以在藏族人心中永垂不朽，同时还推动了很多传译工作及建筑项目。她还记录下了很多为当时的藏族人所不理解的深奥理论，并将它们掩藏在秘密的地方，等待时机成熟的时候为后世所发掘。其余的她则埋藏在了弟子的潜意识之中，等待他们在转世时回忆出来。

在莲花生大师初抵西藏时，耶喜措嘉还是藏王赤松德赞的王妃。据传说，耶喜措嘉美貌惊人，无数小王国的国王和头人都发誓要将她娶到手，发动战争也在所不惜。藏王赤松德赞眼见没有转圜余地，于是就宣布将其纳为王妃，因为他知道没有任何人可以挑战自己的权威。莲花生大师抵达西藏以后，与耶喜措嘉双双一见钟情，藏王同意她离开宫廷，伴随莲花生大师云游说法。在莲花生大师在西藏期间，两人一直形影不离。在他离去之际，他建议她前往尼泊尔去买下一个与她有前世因缘的白人奴隶，协助她修习大乐双运。耶喜措嘉听从了他的建议，与这个白奴闭关修炼，最终获得证悟。

莲花生大师

布本设色唐卡　19世纪　70厘米×49厘米

（右页图说）莲座右边为其西藏女弟子耶喜措嘉，左边为其首席印度弟子曼达拉娃瑜伽女。

曼拉达娃瑜伽女，251页唐卡细部。

　　耶喜措嘉是宁玛派喇嘛修持传承的主要来源，人们相信她获得了金刚不坏身，并经常出现在拥有纯洁渴望者的观想之中。她是西藏绘画的一个常见题材。

　　上页这幅唐卡的中央主尊是莲花生大师，耶喜措嘉位于其右下首。左边下首的造像是他在印度的主要弟子曼达拉娃（Mandarava）瑜伽女。从传承角度来看，耶喜措嘉在藏传佛教中拥有不可否认的重要地位。不过，从艺术和文学作品的角度来看，曼达拉娃瑜伽女的地位却也不相上下。这两位瑜伽女有时被合称为"莲花生双妃"。事实上，两人都是在他的指引下获得了证悟的女性弟子。他固然也曾经与两人都修习过大乐双运密法，但与她们仍然主要是师徒关系。

　　他是在杂霍（Zahor）讲道的时候遇到曼达拉娃的。杂霍是一个喜马拉雅山地区的小王国，位于现在的喜马恰尔－布拉代什一带。她结识他时还是一名尼姑，但是很快为他所引诱，从此给自己的禁欲生活画上了句号。多年以后，他又在西藏遇到了耶喜措嘉。在他驰入夕阳，去其他疆土宣扬佛法之后很多年，他仍然与她们保持着神秘接触，出现在她们的睡梦中和观想中，教授、指引和激发她们的修行之路。

　　上界正中坐着的是本初佛大日如来，左右两边分别是阿弥陀佛和白莲花王观音。左下角是印度僧人寂护，藏王赤松德赞正是听取了他的建议，将莲花生大师请到了西藏。右下角就是藏王本人，双手结说法印，指间拈两枝莲花。莲花上生出一把智慧剑和一本《般若波罗蜜多经》，意指他被看作是智慧佛文殊菩萨的化身。

玛姬拉尊

下页这幅唐卡所绘的是著名的西藏女成就者玛姬拉尊（Machik Labdon，1055年—1153年），玛姬拉尊的意思是"孤独母，拉布明炬"。在画中，她以白衣瑜伽母的形相显现，裸身，单脚立舞，一手击手鼓，一首持法铃。拉布是西藏西南部的一个古王国，距离珠穆朗玛地区不远。

这是一种被称为"聚域"的唐卡。"域"在这里指的是观想对象，可以汇聚美德与智慧。这类绘画通常是为了表现某一教派的主要传承大师和密续主尊。

这幅唐卡所表现的教派属于"息结和能断派"，所有来自玛姬拉尊的传承最后都汇于这两大传承。人们一般将这两种传承视为不同的教派，然而，大多数接受息结传承的人同时也会接受能断传承，反之亦然。在后期，藏族人则已经干脆就将息结去掉，只称"能断派"了。

从技术上来看，玛姬拉尊及其传承教派都出现在新译派时期。然而，她的传承却使用了很多旧译派的术语。因此，我们很难将其归入旧译或是新译派。

玛姬拉尊的传承作为一个独立教派只单独存在了数百年，后来最终为更大的教派所吸纳。今天，藏传佛教的所有四大教派（包括苯教）都有它们自己的玛姬拉尊能断传承。

玛姬拉尊通常被绘制成为白衣瑜伽母，这是因为她对这一空行母观想大为推崇，以至被看作其化身的缘故。她手中的鼓是一种"达玛鲁"手鼓，但是却比一般的印度坛城主尊所持的要大得多。这个鼓是用于能断修持的法器。在能断修持中，修持者观想自己的身体被切成小块，用于供养饿鬼和其他生灵，以此获得对身体的空性见。在观想过程中，需一直缓慢地敲击手鼓、吟唱玛姬拉尊或后世能断派上师所造的颂歌。这些歌曲是西藏历史上最凄绝优美的作品之一。在藏地，大多数天葬师都是能断法修持者，他们的职责就是将死者的尸体分解，喂食秃鹫。在整个仪式中，他们都会吟唱这些旋律优美的能断颂歌。

玛姬拉尊两侧坐着的是她的两个儿子：左边是陀巴桑智，右边是嘉华敦杜。前者身穿僧袍，后者留着黑色长发，身穿白袍，肩披普通瑜伽士的红色禅修带。他们两人对玛姬拉尊传承的保留和传播都居功至伟。嘉华敦杜下方是他的后代，被看作玛姬拉尊转世的女密师多杰东玛。她是一位很值得研究的密法大师，因为所有主要的女性活佛传承都起源于她。

上界正中是五尊金刚萨埵与明妃的双运相，每一尊颜色都不相同，代表五大佛部。环绕着他们的是八大菩萨。下方坐着的是般若波罗蜜多母。再下面是三世佛，左右环拥着阿罗汉和辟支佛。释迦牟尼位于正中，左右分别为前世佛（迦叶佛）和来世佛（弥勒佛），象征玛姬拉尊与白衣瑜伽母的法义代表了所有过去、现在和未来佛的本质，是由般若波罗蜜多母所象征的智慧传承的核心。

    在画面左边（主尊右边）的祥云之中是能断传承的根本上师和传承上师。位于正中的是当巴桑杰，体褐色，手持一面达玛鲁手鼓和一根用人胫骨制造的骨笛。这位杰出的密师是玛姬拉尊的主要上师，据说靠服用"百花精华丸露"活了978岁。在他四周是各种大师，有的来自印度，包括帝罗巴和那若巴，有的来自西藏地区，包括莲花生大师和八世噶玛巴法王。很多大师都并不属于能断传承，而是属于委造这幅唐卡的人所在的传承。从八世噶玛巴法王来看，这应该是属于噶玛噶举派。

    在画面右边（主尊左边）的祥云之中是一组坛城主尊，再次证明了这幅唐卡是由噶玛噶举派所委造的推论。在这组坛城主尊中，位于正中的是金刚亥母，这正是噶举派所有十二个分支的标准造像法。在她上面是狮面空行佛母，我们曾经在第十三章

玛姬拉尊，255 页唐卡细部。

玛姬拉尊

布本设色唐卡 19 世纪

64 厘米 × 38 厘米

《拥有职能的女佛》中见过她。位于顶端的是大手印胜乐金刚，同样也是噶玛噶举派常见的坛城主尊。

在中央主尊脚下，第一排为十个空行母，第二排为十一位传承上师，最下面一排为能断派护法。

二世达赖的祖母及父亲都是 15 世纪时期玛姬拉尊法系的主要传承人。他的祖母曾经闭关 44 年，日夜潜心修持能断法。二世达赖也曾撰写过很多文章，详细介绍他所获得的观想技巧。有赖于二世达赖在中亚地区的声望及他对玛姬拉尊的推崇，人们又重新对玛姬拉尊及其密法产生了兴趣，为能断传承在现代的复苏做出了极大的贡献。

图书在版编目（CIP）数据

唐卡中的度母、明妃、天女／吉布著.
－西安：陕西师范大学出版社，2006.6
ISBN 7-5613-3580-6
Ⅰ.唐... Ⅱ.吉... Ⅲ.唐卡－宗教艺术－简介－西藏
Ⅳ.① J219 ② B946.6
中国版本图书馆 CIP 数据核字（2006）第 068284 号
图书代号：SK6N0788

發現中國
China Discovery

丛书主编／黄利

监制／万夏

项目创意／设计制作／紫圖圖書 ZITO

特约图文整理／喻娟

唐卡中的度母、明妃、天女

吉布／著

责任编辑／周宏

出版发行／陕西师范大学出版社

经销／新华书店

印刷／北京朝阳新艺印刷有限公司

版次／2006 年 7 月第 1 版

2006 年 7 月第 1 次印刷

开本／787×1092 毫米 1/16 16 印张

字数／200 千字

书号／ISBN 7-5613-3580-6/J·77

定价／68 元